La fabrique des bébés

Natacha Tatu

La fabrique des bébés

Enquête sur les mères porteuses dans le monde

Stock

Couverture Coco bel œil
Illustration de couverture : © iStock

ISBN 978-2-234-07793-5

À mes fils,
Thomas et Lucas

1

« Tout se passera bien »

La réunion se déroule dans la plus grande discrétion, un soir de septembre 2014, dans le salon privé d'un palace parisien. L'heure et le lieu du rendez-vous ont été communiqués par mail aux invités. Dans le hall d'accueil de cet hôtel envahi en cette période de Fashion Week par des rédactrices de mode et des mannequins, personne n'est au courant de ce meeting. Dans les couloirs, des pancartes fléchées indiquent simplement le nom d'une société juridique anglo-saxonne : Weltman Law Group. À l'intérieur, ils sont déjà une bonne quarantaine à prendre des notes. L'atmosphère est concentrée, l'ambiance feutrée. Ce pourrait être une réunion d'analystes financiers. Mais non. Ce soir, ici, on parle bébés… Les femmes sont nettement minoritaires. De nombreux hommes sont venus en couple. Certains arrivent en retard, costume bien coupé et casque de scooter sous le bras, inquiets d'avoir raté l'essentiel. Volubile, parfaitement francophone, John Weltman, le brillant avocat diplômé de Yale et d'Oxford qui a organisé cette réunion d'information, les rassure. Il connaît bien cette clientèle de yuppies débordés, peu habitués à quitter leurs bureaux si tôt. Des réunions comme celle-là, il en organise en France deux à trois fois par an. Objectif : recruter des clients potentiels pour sa petite entreprise : Circle Surrogacy : « Le cercle des mères porteuses ». Créée il y a vingt ans à Boston (Massachusetts), c'est l'une des plus anciennes, des plus prospères et des plus importantes agences de gestation pour autrui (GPA) des États-Unis.

Des plateaux de petits-fours et des bouteilles d'eau minérale ont été mis à la disposition des participants à côté de piles de brochures sur papier glacé : « Notre priorité : la famille. Votre famille ». En couverture, d'adorables bébés, façon « United Colors of Benetton » et un argumentaire commercial en béton. L'agence promet un « taux de réussite exceptionnel », un « plan de traitement illimité », une grande variété de « donneuses d'ovocytes », un panel de mères porteuses « soigneusement sélectionnées », une expertise juridique « reconnue internationalement ». Et même des « plans de financement sur mesure »... Car John le dit d'emblée : la gestation pour autrui, c'est cher, très cher même. Et son agence, considérée comme haut de gamme, est loin d'être la plus accessible du secteur. Comptez 110 000 à 130 000 dollars, voyage et faux frais non compris, si tout se passe bien. Dans la salle, quelques couples échangent des regards inquiets.

John Weltman sait qu'il risque gros à organiser ce type de réunion. Légale aux États-Unis, la GPA est rigoureusement interdite en France. Selon le code pénal, le simple fait de mettre en relation dans un but lucratif « une personne ou un couple désireux d'accueillir un enfant et une femme acceptant de porter cet enfant en vue de le leur remettre » est passible de deux ans de prison et 30 000 euros d'amende. Certes, officiellement, il ne s'agit que d'une réunion d'information, pas de signer des contrats. « Mais bien sûr, vous savez que tout ce que vous vous apprêtez à faire est illégal, n'est-ce pas ? » lance-t-il avec un léger sourire à ses futurs clients potentiels. Silence.

Brian Manning, chargé du marketing et des relations publiques de l'agence, détaille toutes les étapes du processus. Lui-même est passé par là. Posé et rassurant, ce père de deux fillettes a un argumentaire bien au point. « La GPA est un processus long et complexe qui implique énormément d'acteurs. Les autres agences ne vous proposeront de s'occuper que d'une partie du programme. Nous sommes les seuls à vous accompagner de A à Z, de la conception de l'embryon jusqu'à votre retour en France avec vos enfants. »

L'aventure commence par la rencontre avec la mère porteuse, le « match », disent les Américains. Comme lors d'un entretien d'embauche ou d'un rendez-vous amoureux, il faut un déclic, « en tout cas que les parents et la gestatrice soient en phase. Même si elle ne devient pas votre meilleure amie, il faut que vous soyez à l'aise ensemble », annonce Brian. Il est resté très proche de sa première mère porteuse, pas du tout de la seconde. « On s'en est tenus à un rapport strictement professionnel qui convenait à chacun et tout s'est très bien passé. » Si ça ne colle pas, Brian promet de présenter autant de candidates que nécessaire, par Skype d'abord, puis, pour ceux qui le souhaitent, en tête à tête. « D'un côté comme de l'autre, vous devez être d'accord sur la manière dont vous allez partager cette relation très particulière. » Quel type de contacts voulez-vous entretenir ? Réguliers ou réduits à l'essentiel ? Assisterez-vous aux échographies ? Quelles sont vos convictions quant à l'avortement ? Quelles décisions prendriez-vous en cas de handicap détecté lors d'un diagnostic prénatal ? Que faire en cas de grossesse multiple ? Mille détails peuvent perturber cette relation pas comme les autres : des avis divergents sur l'alimentation – bio ou pas, végétarienne ou non –, la pratique du sport, la possibilité pour la mère porteuse de voyager pendant sa grossesse, et même le nombre de tasses de café qu'elle est autorisée à boire… Certains futurs parents veulent tout contrôler, d'autres ne rien savoir. « Je voudrais vivre ça comme un couple », dit un quadragénaire un peu tendu qui exprime le désir de suivre la gestatrice dans son quotidien malgré la distance, surveiller son mode de vie. « Ce que je conseille aux futurs parents, c'est de communiquer régulièrement. Au cours de la grossesse, si des problèmes surviennent, et il y en aura forcément, il faut les aplanir rapidement. En même temps, vous devez faire confiance à celle qui porte votre enfant. N'oubliez pas qu'elle a aussi sa vie, des enfants et un mari. » John Weltman promet des contrats sur mesure. « Les difficultés arrivent quand le contrat est mal ficelé. Ces cas de figure doivent être explicitement envisagés. » Ces documents juridiques établis sous la double supervision de l'avocat des futurs parents et de celui de la mère porteuse, toujours distincts pour éviter le conflit d'intérêts, dépassent facilement les cinquante pages. Tout doit y être consigné noir sur blanc.

Le patron de Circle Surrogacy n'hésite pas à parler argent. Mais il promet une démarche éthique, protégeant les intérêts de toutes les parties. « Ma priorité, *in fine*, c'est toujours le bébé », dit-il, réellement fier d'aider ses clients à réaliser « l'aventure la plus extraordinaire de leur vie ». Lui arrive-t-il de refuser certains clients ? C'est rare. Célibataires, gays, quinquagénaires, il n'écarte personne *a priori*. « Pourquoi serait-on plus exigeant avec des personnes stériles qu'avec celles qui font des enfants sans même y penser à la sortie d'une boîte de nuit ? C'est l'amour qui constitue une famille, pas les gènes. » *A posteriori*, cela lui est cependant arrivé. Notamment lorsque les parents intentionnels sont vraiment trop âgés. « En deux ans, j'ai dû refuser trois à cinq demandes », reconnaît Brian qui se souvient d'un couple carrément déséquilibré ou de ce célibataire de 60 ans, séropositif. « Trouver une mère porteuse pour lui aurait de toute façon été impossible. »

La demande étant supérieure à l'offre, les mères porteuses peuvent refuser des candidats parents, et *vice versa*. « Comment sélectionnez-vous les gestatrices ? » demande un quinquagénaire venu avec son compagnon. Les critères sont nombreux. Un : son lieu de résidence. Faute de loi fédérale sur le sujet, chaque État, outre-Atlantique, a ses propres textes qui évoluent constamment. C'est donc l'État dans lequel la gestatrice va accoucher qui compte. Il faut s'assurer qu'il est favorable à la GPA, et dans quel cadre celle-ci est autorisée. Quarante-cinq États l'acceptent, avec d'importantes variations. « New York, le Michigan, le Nebraska et le New Jersey la refusent. Le Texas aussi si vous êtes gay… Il faut parfaitement maîtriser les textes sous peine de courir à la catastrophe », insiste John. En Californie, l'eldorado en la matière, tout ou presque est possible. Dans le Michigan, quasiment rien. Entre les deux, toute une palette de lois qui varient quelquefois même d'un comté à l'autre. Ici, il faut que l'un des parents au moins ait un lien génétique avec l'enfant. Ailleurs, les deux. Là, il faut passer par la case adoption. Autre part, les deux pères peuvent figurer sur le certificat prénatal. Ce maquis de textes complexes et contradictoires fait le bonheur des juristes et des avocats spécialisés qui ont la haute main sur le secteur.

Deuxième critère : l'histoire personnelle de la gestatrice. Il faut d'abord qu'elle ait elle-même eu des enfants, et qu'elle ne veuille plus en avoir. Comment se sont passées ses grossesses ? Les a-t-elle menées à terme ? « S'il y a eu des complications, sa candidature est rejetée. Et si elle n'a pas eu d'enfants, ce n'est même pas la peine d'y penser », souligne John, qui affirme être intraitable dans sa sélection. Il croule sous les candidatures, « mais celles de qualité sont rares ». Pas plus d'une sur trente n'est retenue. La qualité de vie et la personnalité de la femme sont bien sûr essentielles. « Elle doit être stable, émotionnellement et financièrement. Avoir le soutien de son mari et de son entourage familial. Être en bonne santé. Ni maigre, ni en surpoids. Ne pas être sous traitement médicamenteux. Nous avons une équipe de psychologues et d'assistantes sociales pour vérifier tous ces aspects. »

En respectant ces garde-fous, Circle Surrogacy se conforme aux recommandations publiées par l'ASRM (American Society for Reproductive Medicine) qui a rédigé un code de bonne conduite visant à protéger la santé de la gestatrice et de l'enfant. Mais, faute de cadre médical réglementant l'activité, libre à chaque agence de les suivre ou pas. John Weltman est le premier à le regretter. « Les officines bidons ne manquent pas. Certaines sont créées par des infirmières ou d'anciennes mères porteuses. N'importe qui peut se lancer dans ce business. Soyez prudents. »

L'avocat met également en garde contre la tentation des filières low cost, qui se développent dans de nombreux pays en voie de développement. « Des clients ont payé 60 000 dollars en Thaïlande. C'est vrai, par rapport à nous, ce n'est pas cher. Mais ils n'ont pas eu de bébé. » Lui-même envisageait pourtant il y a quelques années de délocaliser une partie de son activité en ouvrant une filiale en Ukraine. « J'avais trouvé un excellent cabinet juridique avec lequel m'associer. Mais avec la guerre dans le Donbass, les clients avaient peur. » Finalement, il y a renoncé. Trop de risques, trop de complications.

Le choix de la donneuse d'ovocytes préoccupe bien sûr les participants. C'est elle qui va donner ses traits génétiques à l'enfant. Comment la choisir ? Là encore, John Weltman affirme avoir un catalogue de plus de mille candidates triées sur le volet. Mais pour celles-ci, les critères de sélection sont complètement différents : « La bonne donneuse n'est pas la bonne porteuse. » La seconde est une mère de famille en bonne santé, venant généralement d'un milieu simple, souvent rural, qui cherche un revenu d'appoint tout en ayant la possibilité de rester à la maison pour profiter de ses jeunes enfants. Ce qui fait sa valeur, c'est la solidité de son utérus. La première est souvent une jeune étudiante, plutôt jolie, qui a besoin d'argent pour payer ses cours. La qualité de ses gamètes, c'est sa plastique, ses dons, son CV et son QI. « Prenez votre temps pour la choisir. Pensez à ce qui est important pour vous et votre partenaire. En général, les parents choisissent quelqu'un qui leur ressemble plutôt qu'un top model. Mais nous vous laissons le choix. » L'enfant pourra-t-il la connaître ? « Cela dépend d'elle et de vous. » Dans son catalogue, des donneuses « anonymes, non anonymes et semi-anonymes », ces dernières ne divulguant qu'une partie de leurs données personnelles. À titre personnel, John n'est pas favorable à l'anonymat. Contrairement à d'autres agences, la sienne conseille aux futurs parents d'adopter un maximum de transparence vis-à-vis des enfants : « Mieux vaut que l'enfant ait accès, s'il le souhaite, à ses origines et à son capital génétique. Personne ne sait comment la vie va évoluer.

Des informations médicales peuvent se révéler vitales. Il faut penser au futur de l'enfant. » John pense que la grande majorité de ces jeunes femmes acceptent, si on leur explique les motifs, de laisser une trace permettant de les retrouver. Bruce et son mari ont chacun une fille biologique. Elles ont été portées par deux femmes différentes. La donneuse d'ovocytes, en revanche, est la même. « Cela nous a permis de construire une famille génétiquement connectée », explique Bruce. Cette semaine, sa fille de 4 ans lui a demandé si elle avait été adoptée. Il lui a expliqué qu'elle avait deux parents, ses deux papas, et que cette femme, qui n'était en aucun cas sa mère, les avait aidés à réaliser leur rêve. L'information n'a pas eu l'air de la troubler. « Il y a aujourd'hui tant de formes de parentalité. Rien n'étonne les enfants. »

Comme John, Bruce est gay, plus de la moitié des clients de l'agence aussi. « Comme dans tous les business, il y a des niches. La nôtre, c'est la clientèle homosexuelle, parce que le bouche à oreille fonctionne au sein de la communauté, et que nous sommes connus pour être gay friendly », explique John. Mais il ajoute : « Contrairement à une idée reçue, la GPA n'est pas spécialement destinée aux homosexuels. » Certaines femmes ont eu un cancer qui les a rendues stériles, d'autres sont nées sans utérus. Des milliers d'« enfants du Distilbène », comme on les appelle, du nom de ce médicament administré aux femmes enceintes dans les années 1970, souffrent de complications gynécologiques qui les privent de tout espoir de grossesse. Les statistiques fiables sur le sujet sont rares, mais, selon une étude publiée en 2013, par l'université de Huddersfield Repository, en Grande-Bretagne, sur la clientèle britannique ayant recours à la GPA dans le monde, 80 % étaient des couples hétérosexuels. Même une agence de mères porteuses ciblant clairement une clientèle gay comme Circle Surrogacy a une bonne moitié de couples hétérosexuels pour clients. Pas plus de 15 % des homosexuels souhaitent avoir des enfants selon John : « Je suis sûr que ce seront les meilleurs parents au monde. Pourquoi ne pas le leur permettre ? C'est injuste et discriminatoire. »

Lui-même se souvient de son désespoir de jeune adulte découvrant à la fois qu'il était homosexuel et qu'il ne serait peut-être jamais père. « C'était inconcevable, dévastateur. Je n'avais jamais imaginé ma vie sans enfants. » Aujourd'hui papa, avec son mari, de deux garçons d'une vingtaine d'années, c'est un pionnier et un infatigable promoteur de l'homoparentalité. Les deux hommes ont été parmi les tout premiers couples gays américains à faire leur *coming out* de pères, n'hésitant pas à apparaître dans des reportages télévisés montrant leur jolie vie de famille, John très papa protecteur, son conjoint plus cool, avec belle maison en banlieue résidentielle de Boston et barbecue le dimanche : un quotidien « terriblement banal », comme il dit, à des années-lumière d'un Elton John exhibant dans la presse people ses deux bébés nés d'une mère porteuse.

Zatch et Kyle, leurs fils aujourd'hui brillants étudiants, « très différents l'un de l'autre, sont parfaitement bien dans leurs baskets. Ils ont tous les deux été aussi pénibles que des ados peuvent l'être, ni plus ni moins ». L'un est son fils génétique, l'autre, celui de son mari. Il lui a fallu du temps pour convaincre celui-ci de fonder une famille : « Sinon, on se serait probablement séparés. Il a fini par dire oui et a même tenu à être le premier à devenir père. » À l'époque, les agences de GPA n'existent pas. Quelques journaux commencent à évoquer le sujet, mais, dans les faits, les mères porteuses, dont on se repasse les noms sous le manteau, étaient rares et discrètes. Par l'intermédiaire d'amis d'amis, ils finissent par rencontrer une femme du Midwest qui va accepter, moyennant finances, de porter successivement les deux enfants conçus par insémination artificielle. « Elle est notre ange, notre dieu. Nous lui devons tout, dit John, qui a gardé des liens d'amitié avec elle, de loin en loin. Mais c'est surtout pour mon mari et moi que c'est important. Pour nos fils, elle est une vague relation, comme une lointaine cousine qui ne les intéresse pas plus que ça. Elle ne fait pas partie de leur existence. Et ce n'est en aucun cas leur mère. »

Techniquement et biologiquement, pourtant, elle l'est. À l'époque, les FIV avec prélèvements d'ovocytes étaient beaucoup moins au point qu'aujourd'hui. Les deux garçons sont bel et bien ses enfants génétiques. À la maternité, c'est son nom qui figurait sur le certificat de naissance des enfants. Au regard de la loi, elle a dû officiellement les abandonner pour pouvoir les confier à leurs pères. « À l'époque, il n'y avait guère de choix. C'était la norme. Mais ce n'est plus du tout le cas aujourd'hui », précise John. En effet, sauf cas exceptionnel, ce type de gestation pour autrui, dite « traditionnelle », ne se pratique quasiment plus, ni aux États-Unis, ni dans le reste du monde. Maintenant, les porteuses sont purement gestatrices. L'embryon est fabriqué *in vitro*, avec les ovules de la future mère lorsque c'est possible, ou, dans le cas de couples d'hommes, avec ceux de la donneuse d'ovocytes. La porteuse, elle, n'a aucun lien génétique avec l'enfant. Une différence souvent mal comprise lors des débats qui entourent la GPA. L'essor et la banalisation des techniques de FIV ont été la véritable révolution du secteur, celle qui a permis son succès. Pour la gestatrice, comme l'indique la loi, en effet, ça change tout : cet enfant n'est effectivement pas le sien.

Mais tout de même… « Et si elle voulait finalement tout de même garder ce bébé ? » demande un client potentiel. C'est la question classique, la première angoisse des futurs parents. Elle fait toujours sourire John : « La réalité est tout autre. Ce que nous redoutons, nous, ce sont des parents qui ne viendraient pas chercher leurs bébés. Il y a trois fois plus de parents qui changent d'avis en cours de route que l'inverse. » Les raisons sont multiples. Il peut arriver à certains parents, après un handicap révélé lors d'une échographie, de se sentir soudain incapables d'élever cet enfant « à particularité ». D'autres se séparent durant la grossesse ou découvrent soudain qu'ils ne peuvent s'attacher à un enfant avec lequel ils n'ont pas de lien génétique, notamment lorsqu'il y a eu don d'ovocytes, don de sperme, ou les deux… C'est rare, mais cela arrive. Selon les comptes publiés par Me Andrew Vorzimer, un avocat de Los Angeles spécialisé dans la reproduction assistée, il y aurait eu, depuis trente ans, quatre-vingt-un cas de parents intentionnels qui se sont ravisés, et trente-cinq seulement de mères porteuses qui n'ont pas voulu se séparer de l'enfant. 24 d'entre elles étaient des mères porteuses « traditionnelles », qui portaient leurs propres bébés.

Point crucial, l'assurance médicale de la mère porteuse. « C'est le risque majeur, l'aspect le plus délicat de tout le processus, affirme John. Les dépenses d'une grossesse peuvent grimper jusqu'à deux millions de dollars. Toutes nos mères porteuses sont couvertes par une assurance. » Dans un pays où n'existent ni Sécu ni CMU, l'enjeu est de taille ; les factures sont astronomiques, et donnent lieu à des tractations sans fin entre les assurances privées et les hôpitaux. Quatre avocats, chez Circle Surrogacy, travaillent sur le sujet à temps plein. « Chaque contrat d'assurance est différent. Attention à ceux qui excluent la GPA de façon sournoise, ou qui contesteraient ensuite les factures. C'est classique. Sur cent cinquante grossesses, nous avons jusqu'à vingt problèmes d'assurance par an. Cela se règle toujours entre avocats. Et, en dix-huit années d'existence, nous avons toujours gagné », certifie John.

Clients et parents comblés, Marc et François sont venus en témoigner. Leurs jumelles ont passé trois mois en néonatalogie. À 10 000 dollars par jour et par enfant, l'affaire aurait pu tourner au désastre. « C'est un point très critique, pour lequel vous avez vraiment besoin d'un excellent juriste, martèle Marc. John a l'air gentil comme ça, mais c'est un avocat redoutable, qu'il vaut mieux avoir avec soi que contre soi. » À six mois, les filles sont en pleine forme. Bons jobs et revenus confortables, les deux hommes sont sur un nuage : « Il y a trois ans, j'étais assis à votre place et j'étais horriblement stressé par tous les aléas de ce projet », explique Marc. Ce jeune mathématicien, qui « déteste les prises de risques non contrôlées », raconte l'attente, les angoisses et les espoirs déçus. Pour eux, rien n'a été simple. Trois mères porteuses successives, deux échecs. « Mais, grâce à John, pas le temps de déprimer, à chaque échec, hop ! c'était reparti. » La troisième porteuse a été la bonne. Pour patienter, en bon scientifique qu'il est, Marc a consigné toutes les informations relatives à la grossesse dans un tableau Excel. Deux cent cinquante photos, cinquante pages de rapports médicaux. Neuf mois durant, le couple a communiqué quotidiennement avec la mère porteuse *via* Skype. Et le jour J, ils étaient dans la salle d'accouchement : « Les médecins nous ont même laissés couper le cordon. » Dans la salle, l'émotion est palpable. « Ça marche pour tout le monde », déclare John, qui promet un taux de réussite proche de cent pour cent, et autant d'essais que nécessaire. « Oui, vous aurez votre bébé. C'est juste une question de temps. Faites-nous confiance : une belle aventure commence. »

Les conditions du retour en France sont évidemment abordées : « Ne vous inquiétez pas. Nous choisissons des cliniques favorables à la GPA qui vous délivreront sans problème un certificat de naissance. Ils ont l'habitude. Cela fait vingt ans que nous travaillons avec eux. » Certes, l'enfant n'aura pas de papiers français, mais, à partir de ce certificat sur lequel apparaîtront les noms des futurs parents, aucun problème pour obtenir un passeport américain : le 14e amendement de la Constitution américaine garantit en effet à toute personne née sur le sol américain le droit à la citoyenneté. C'est le droit du sol. « Comptez cinq jours maximum pour l'obtenir. Votre principale difficulté, ce sera d'arriver à faire des photos d'identité correctes de votre bébé ! Ensuite vous pourrez rentrer en France tranquillement. Je ne peux pas vous promettre que votre bébé aura des papiers français, mais il sera un citoyen américain, et c'est plutôt un atout dans la vie. » Incollable sur le droit français et les mille manières de contourner les arcanes administratifs, John connaît tous les trucs, jusqu'aux manières de passer les contrôles de la police des frontières – en prenant bien soin de choisir deux files différentes pour les couples homos – afin d'éviter la suspicion. Et, une fois le bébé en France, « tout sera simple », assure-t-il. Tout le monde, ce soir-là, se félicite de la décision de la Cour européenne des droits de l'homme (CEDH) qui vient de condamner la France pour avoir refusé de transcrire à l'état civil français les actes de naissance d'enfants nés à l'étranger par GPA. Une première brèche dans le bouclier français anti-GPA. Mais John Weltman ne se fait pas trop d'illusions : « Tout ça va prendre du temps avant d'être appliqué. »

Des clients, Circle Surrogacy se flatte d'en avoir partout dans le monde : de l'Allemagne à la Norvège, d'Israël à la Chine, en passant par l'Afghanistan et le Pakistan, l'agence, créée en 1995, a des clients dans soixante-huit pays, répartis sur les cinq continents. Elle a fêté en 2015 la naissance de son millième bébé et connaît aujourd'hui une croissance à deux chiffres. Des sessions d'information comme celle-ci, John Weltman en organise une dizaine chaque mois dans le monde entier. Avec une trentaine de clients par an, la France a longtemps été son plus gros marché, juste après les États-Unis. « J'ai aujourd'hui plus de clients à Paris qu'à New York et, croyez-moi, ça ne va pas s'arrêter. On ne pourra jamais obliger les gens à renoncer à leur désir d'enfant. » Et dans une industrie mondialisée, pas de loi, selon lui, qui ne puisse être contournée. Quelques mois plus tard, sans totalement jeter l'éponge sur la France, John décidera pourtant de mettre la pédale douce sur ce marché. À la suite de cette réunion parisienne, une avocate de l'association Juristes pour l'enfance, un groupe de lobbying proche de la Manif pour tous qui avait réussi à s'infiltrer dans l'hôtel, publiera un communiqué rageur dans lequel elle s'insurgera contre « cette commercialisation honteuse des femmes et des enfants ». John est devenu prudent. Des agences qui organisaient des séminaires comme le sien ont été littéralement attaquées. Il se méfie désormais des journalistes, évite de faire de la publicité. « C'est devenu trop dangereux. Pour les couples et pour nous. » D'autant qu'un nouveau marché ultra-prometteur s'ouvre à lui : la Chine !

« C'est devenu notre premier marché, après les États-Unis. Je n'ai jamais vu ça. Les demandes ont doublé en un an. » Quinze clients en 2014, trente en 2015, et il s'attend à une explosion dans les années à venir. Les raisons sont multiples. D'abord, une nouvelle classe chinoise très aisée. Des problèmes galopants de stérilité, qui toucheraient 40 millions de personnes notamment à cause de facteurs environnementaux. Des parents qui veulent échapper à la politique nataliste restrictive, même si celle-ci tend à s'assouplir. Ou encore la promesse d'avoir des bébés avec un passeport américain, qui pourront faire leurs études aux États-Unis… Non seulement la promesse d'un plus bel avenir, mais aussi l'espoir, pour toute la famille, d'obtenir une carte verte dans le cadre du regroupement familial. Et, enfin, la possibilité d'avoir un enfant sur mesure, dont les familles pourront choisir le sexe et certaines composantes génétiques, comme la loi le permet aux États-Unis. John Weltman a déjà embauché une chargée de clientèle parlant mandarin et ouvert un bureau sur la côte Ouest, plus accessible à cette clientèle asiatique. L'an prochain, il compte créer un bureau à Shanghai.

En attendant, pour fêter les vingt ans de l'agence, le patron de Circle Surrogacy a réuni tous ses clients parisiens pour une belle fête sur une péniche, dans une ambiance familiale et américaine, avec machines à hot-dogs et à barbe à papa pour les enfants. Ils sont une petite centaine à s'être déplacés. Des hétéros et des gays, des célibataires de tous âges. Les plus jeunes ont à peine 30 ans, les plus âgés dépassent la soixantaine. John était d'accord pour nous inviter. Mais un animateur vedette de la télé, people entre les people, père de jumelles, y a mis son veto, menaçant de ne pas venir s'il y avait le moindre journaliste dans les parages. Pas de médias. John est désolé. Il n'a pas le choix. *Business is business, sorry.*

2

De « Baby M » au baby business

Melissa Cook avait toujours aimé être enceinte. Les précédentes grossesses de cette Californienne de Woodland Hills, à côté de Los Angeles, s'étaient toujours bien passées, et puis elle avait besoin d'argent. À 47 ans, cette mère divorcée de quatre enfants s'est donc inscrite pour la seconde fois dans une agence de mères porteuses. En 2013, elle avait déjà porté le bébé d'un autre couple, sans problème. Elle avait apprécié l'expérience, persuadée de « faire quelque chose de bien », et le petit pactole qu'elle en avait retiré, complétant ses revenus d'employée de bureau, était tombé à pic. Pourquoi ne pas recommencer ? Elle se sent en forme et son médecin lui a donné son feu vert. Elle s'inscrit auprès d'une agence qui l'accepte malgré son âge et la met rapidement en relation avec un client. Un employé de la poste, cinquantenaire et célibataire, qui vit avec ses parents en Georgie… Particularité : l'homme est sourd. Melissa Cook et son « client » ne se verront jamais, échangeant seulement quelques emails succincts. Tous ces chiffons rouges ne les empêchent pas de faire affaire. En mai 2015, Melissa signe un contrat dans lequel elle s'engage à renoncer à tous ses droits parentaux sur le ou les enfants qu'elle porte. Elle touchera 33 000 dollars échelonnés tout au long de la grossesse, avec un bonus de 6 000 euros en cas de jumeaux.

Trois embryons conçus à partir des ovocytes d'une jeune fille de 20 ans et fécondés *in vitro* avec le sperme du futur père sont implantés. C'est beaucoup, surtout pour une femme qui approche la cinquantaine : la Société américaine de médecine reproductive (ASRM) recommande dorénavant, quand la donneuse d'ovules a moins de 35 ans – et promet donc de créer des embryons particulièrement vivaces –, ce qui est le cas pour la jeune fille sélectionnée, de n'en implanter qu'un dans l'utérus de la gestatrice pour éviter les risques de grossesse multiple. Mais, afin d'augmenter les chances de réussite, le médecin tente le tout pour le tout, convaincu qu'un seul ou deux tout au plus s'accrocheront sur la paroi utérine…

Les trois se développent et, en août, Melissa se retrouve enceinte de triplés. Très vite, les relations avec le futur père, totalement dépassé, émotionnellement et financièrement, par cette perspective, tournent au vinaigre. Il n'a pas les moyens d'élever trois enfants. Pour tout dire, il n'imaginait pas un processus aussi coûteux, et se révèle carrément fauché. Les factures médicales que lui envoie Melissa l'affolent. D'un côté, il lui demande, *via* l'agence qui les a mis en contact, de limiter les visites chez le médecin ; de l'autre, il dit s'inquiéter pour la santé de la gestatrice et des bébés, et redouter de grands prématurés... Puis, après quelques semaines, il exige qu'un avortement sélectif soit pratiqué sur l'un des fœtus.

Melissa refuse. Certes, elle a signé ce contrat, acceptant le principe d'un avortement sélectif si le père l'exigeait. Mais, comme elle l'avouera plus tard, elle n'a pas pris vraiment le temps de lire les soixante-quinze pages barbantes de ce document juridique, se contentant de les parcourir rapidement. Elle est, par principe, farouchement opposée à l'avortement. Ces bébés, elle les sent bouger en elle. Ils vont bien. Elle y est attachée. C'est non.

Fin novembre, l'homme fait intervenir son avocat pour tenter de la convaincre. Elle campe sur ses positions, proposant d'adopter elle-même le troisième enfant. Il menace de suspendre le versement des mensualités pour « rupture abusive de contrat », elle contre-attaque en dénonçant un contrat « inconstitutionnel ». Pro et anti-IVG s'en mêlent, les médias aussi. Tout en exhibant sa grossesse triomphante dans les magazines, cette blonde plutôt photogénique demande à être inscrite comme mère sur le certificat de naissance pour pouvoir ensuite demander la garde exclusive des triplés. En vain. Le 22 février, elle donne naissance, avec sept semaines d'avance, à trois prématurés qui lui sont immédiatement retirés. Ils sont placés en néonatalogie en attendant la décision de justice, elle ne les reverra plus. Aux dernières nouvelles, le père « épuisé mais très heureux », selon son avocat, sans doute aussi ruiné, s'occupe des trois garçons, qu'il a finalement gardés.

Sur les forums de mères porteuses où l'affaire donne évidemment lieu à un déluge de commentaires, Melissa est largement désavouée. Pour ces femmes, pourtant généralement hostiles à l'avortement, la gestatrice a gravement failli à sa mission. Elle a trahi la cause en ne respectant pas le sacro-saint contrat... Pire : elle donne une mauvaise image de toute la communauté. « Elle n'a absolument aucun droit sur ces enfants », affirme John Weltman, qui l'affronte sur les plateaux de télévision. Sur fond de bagarre d'avocats, l'affaire fait grand bruit. Elle va peser sur la décision du gouverneur de l'État de New York, Andrew Cuomo, de ne pas lever l'interdiction sur la GPA instaurée en 1993. « C'est fou, complètement fou. Et cela va se passer encore et encore. Nous ne voulons pas que ces choses-là arrivent à New York. Cela ne devrait arriver nulle part aux États-Unis », déclare le sénateur républicain Martin Golden. Quelques associations anti-GPA s'engouffrent dans la brèche : « Nous espérons que ceux qui considèrent la FIV et la GPA comme des mesures favorables à la vie, à l'enfant et à la femme vont reconsidérer leur position et combattre toutes les lois qui encouragent ces pratiques », dénonce une organisation catholique. En pure perte.

Pour la députée démocrate Amy Paulin, spécialiste de la famille, qui a déposé un texte proposant de légiférer sur le sujet, c'est l'inverse qu'il faut faire : cette tragique histoire démontre au contraire combien il est nécessaire pour l'État de New York d'adopter une loi autorisant la GPA dans des conditions strictement définies : « Pour l'instant, les New-Yorkais [désirant recourir à la GPA] doivent se rendre dans d'autres États, où ils peuvent se retrouver dans ce genre de situation. Nous avons besoin d'une législation à New York permettant de nous assurer que ce cas de figure ne se reproduira plus. »

Sale affaire en tout cas. Les promoteurs de la GPA en veulent aux journalistes de braquer systématiquement les projecteurs sur ces faits divers qui fascinent l'opinion publique, apportent de l'eau au moulin de ses détracteurs, et ne donnent jamais à voir le bonheur de milliers de familles comblées.

Il est vrai que, dans la quasi-totalité des cas, tout se passe bien – sans doute mieux même, proportionnellement, que pour toute autre forme de procréation –, mais les drames, quand ils surgissent, soulèvent alors une série de questions trop souvent balayées sous le tapis…

À chaque scandale resurgissent les mêmes interrogations : qu'est-ce qu'une mère ? À qui appartiennent ces enfants ? Peut-on autoriser n'importe qui à devenir parent ? A-t-on le droit d'obliger une femme à avorter ? Ce dernier sujet, essentiel, est au cœur des contrats signés entre les mères porteuses et les futurs parents. « Les deux parties doivent être cent pour cent d'accord », rappelle John Weltman, de Circle Surrogacy, à Boston. Certes. Mais quelle est la valeur d'un tel engagement signé avant la grossesse ?

Véritable problème : les grossesses multiples, très fréquentes en cas de gestation pour autrui. Même pour les partisans de la GPA, c'est le point le plus discutable, celui qui pourrait peut-être, un jour, conduire à une interdiction pure et simple de cette pratique. La plupart des médecins ont beau essayer de dissuader leurs patients de tenter le diable en demandant l'implantation de plusieurs embryons, ceux-ci s'entêtent. Et pour cause : une FIV coûte cher, 20 000 euros environ. Une GPA plus encore, de 100 000 à 130 000 dollars. En revanche, le surcoût d'une grossesse gémellaire excède rarement les 7 000 dollars. Le calcul est vite fait. Les uns espèrent avoir « deux enfants pour le prix d'un », d'autres veulent multiplier leurs chances d'avoir au moins un enfant. Ou encore, pour les couples gays, connaître ensemble la joie d'avoir son enfant biologique : deux embryons sont alors implantés, chacun fécondé par le sperme d'un des pères.

Mais les risques médicaux, ce ne sont pas eux qui les prennent. Tous les médecins le disent : une grossesse multiple est toujours à risque, pour les enfants dont la probabilité de naître prématurément est nettement plus élevée que pour les naissances uniques, comme pour la femme enceinte. Les césariennes sont plus nombreuses, les problèmes de diabète fréquents. La mère doit souvent rester alitée en fin de grossesse, quelquefois même dès le début. Et le pire est toujours à craindre : fin 2015, Brooke Lee Brown, une mère porteuse de 34 ans de l'Idaho, enceinte de jumeaux, est morte d'une rupture placentaire. Les enfants qu'elle portait pour un couple vivant en Espagne n'ont pas survécu. La jeune femme, qui avait déjà été mère porteuse à plusieurs reprises – au moins trois semble-t-il – a laissé derrière elle un mari et trois petits garçons.

Melissa Cook savait que la loi californienne, très défavorable aux mères porteuses qui n'ont aucun droit sur l'enfant, ne lui laissait guère de chances de l'emporter devant les tribunaux. Elle a engagé un avocat célèbre dans les milieux de la GPA aux États-Unis. Connu pour ses positions anti-avortement, Harold Cassidy a défendu une mère porteuse dans la première et la plus retentissante affaire de toutes les annales de la procréation assistée : l'affaire « Baby M ». Outre-Atlantique, trente ans après les faits, elle hante toujours tous ceux qui sont de près ou de loin mêlés à ce baby business. Et reste un marqueur des lois qui régissent aujourd'hui encore cette pratique.

Tout commence en 1986, quand Elizabeth Stern et son mari William, biochimiste de 38 ans, mariés depuis quelques années, découvrent que la jeune femme souffre de multiples scléroses. Une grossesse, formellement déconseillée par les médecins, pourrait lui être fatale. Déterminés à avoir un enfant « à eux », ils se mettent en quête d'une femme acceptant de porter leur bébé pour 10 000 dollars, en publiant une annonce dans un journal local. Mary Beth Whitehead, une jeune femme de 28 ans mariée à un chauffeur routier, déjà mère de deux enfants, propose de les aider. Un avocat, Noel Keane, va établir le contrat que chaque partie signera. Le 27 mars 1986, après une dizaine d'inséminations, Mary Beth donne naissance à une petite fille que les Stern décident d'appeler Melissa. La jeune femme s'est engagée à signer un acte d'abandon, renonçant à tous ses droits sur le bébé, et à le confier aux Stern afin qu'ils puissent légalement l'adopter. Mais quand elle voit le bébé, submergée d'émotions, elle change d'avis. Contrat ou pas, ce bébé, décide-t-elle, est le sien. Elle nomme la petite fille Sara Elizabeth, la ramène chez elle et l'allaite pendant un mois. Dans un premier temps, le juge tranche en faveur des Stern. Mary Beth s'enfuit en Floride avant d'être retrouvée par un détective privé. Le bébé lui est enlevé par la police. Suivent six semaines de procès retentissant, mobilisant médias et paparazzis du monde entier. La cour suprême du New Jersey finit par déclarer le contrat de GPA caduc, mais confie tout de même la garde aux Stern, « au nom des intérêts supérieurs de l'enfant », tout en accordant un droit de visite à la mère porteuse. Un jugement de Salomon.

Si Elizabeth Stern avait découvert son incapacité à mener à bien une grossesse dix ans plus tard, la situation aurait été tout autre : elle aurait fait une FIV avec ses propres ovocytes et le sperme de son mari, et aurait « confié » l'embryon à une gestatrice (« *gestational surrogate* ») qui n'aurait eu aucun lien génétique avec ce bébé. C'est aujourd'hui le cas dans 95 % des GPA. Mais Mary Beth est ce que l'on appelle outre-Atlantique une mère porteuse « traditionnelle » (« *traditional surrogate* ») : moins de dix ans après la naissance de Louise Brown, le premier bébé-éprouvette, le recours aux FIV en est encore au stade expérimental, tout comme le recours à des donneuses d'ovules. Inséminée artificiellement par le sperme de William Stern, elle est la mère génétique de ce bébé. Ce qui complique sérieusement les choses.

Son cas divise le pays, braquant soudain les projecteurs sur une pratique qui existait depuis longtemps tout en restant relativement confidentielle. Politiques, médecins, théologiens, avocats, tous se jettent dans la mêlée. La polémique divise aussi les féministes, certaines considérant, comme en France aujourd'hui, que les femmes ont le droit de disposer librement de leur corps, d'autres que c'est une marchandisation du corps des femmes… La gauche, elle, évoque une justice de classe : les Whitehead sont des ouvriers qui joignent difficilement les deux bouts, les Stern, des intellectuels aisés. Les médias sont partagés. Est-il possible d'obliger une femme à renoncer à son enfant ? D'un côté, elle n'a pas signé d'acte d'abandon. Son nom ainsi que celui de son mari figurent sur le certificat de naissance. De l'autre, elle a signé un contrat juridiquement contraignant, dans lequel elle reconnaît accepter de l'argent pour cette grossesse tout en s'engageant à renoncer à tout droit sur cet enfant. Qui est la vraie mère ? À qui est cet enfant ?

En tranchant en faveur des Stern, les juges ont répondu d'une manière qui va bouleverser tout le champ de la procréation médicalement assistée : selon eux, l'enfant appartient non à celle qui l'a porté mais à celle qui l'a désiré. À la famille qui a conçu le projet de le faire naître et de l'accueillir. L'intention l'emporte sur la biologie, l'amour sur la génétique. L'affaire va déboucher sur l'interdiction de recourir à une mère porteuse dans le New Jersey. Mais aussi, paradoxalement, contribuer à son essor dans le reste du pays. Si les Stern avaient perdu, il est probable que le développement de la gestation pour autrui aurait été stoppé net. Quel candidat à la parentalité aurait été assez fou pour se lancer dans une opération aussi difficile, aussi coûteuse, pour se retrouver *in fine* privé d'enfant ? Quelle clinique aurait investi dans un business aussi risqué ? En tranchant en faveur du couple commanditaire, les juges ont légalisé la gestation pour autrui.

D'autant qu'à peu près au même moment, le *New England Journal of Medicine* rapportait qu'un gynécologue sud-africain avait donné naissance à un bébé en utilisant le sperme d'un homme, l'ovocyte d'une femme et l'utérus d'une autre femme. C'est la première GPA moderne, « gestationnelle ». La porteuse n'est plus la mère biologique. La procréation, jusque-là indivisible, devient un Meccano à trois pièces que l'on peut assembler comme on veut. Une filière est née.

Comme dans n'importe quel secteur industriel, celle-ci va s'organiser avec des fournisseurs, des sous-traitants, des transporteurs, des intermédiaires, et, surtout, une armada d'hommes de loi.

La demande est énorme. Quand ils ont le choix, les patients préfèrent largement l'option FIV, même si elle est plus chère, à l'insémination artificielle qui va d'ailleurs être interdite dans plusieurs États. Des banques d'ovocytes se constituent, passant des annonces dans les journaux des campus pour inciter de jeunes et jolies filles à vendre leurs ovules. Des agences spécialisées recrutent des mères porteuses. Des intermédiaires se glissent dans la filière pour coordonner les programmes et les contrats. Il faut des psychologues, des travailleurs sociaux, des traducteurs et des interprètes pour la clientèle internationale. La complexité des lois, qui varient considérablement d'un État à l'autre, et d'un pays à l'autre, fait le bonheur des avocats spécialisés qui se sont engouffrés dans la brèche. Dans certains cas, il faut jongler entre les juridictions des États où vivent la mère porteuse et les parents : en 2013, une mère porteuse qui refusait d'avorter d'un enfant lourdement handicapé, comme le lui demandaient les parents, a ainsi dû déménager. Des contrats de plus en plus sophistiqués statuant sur le calendrier des rémunérations, les pénalités, la propriété, tentent de balayer tous les incidents de parcours. Les compagnies d'assurances développent des polices *ad hoc*. Des sociétés de transports se spécialisent dans le transfert de gamètes et d'embryons d'un bout à l'autre du pays, voire aux quatre coins du monde. Au début des années 1990, le marché de la reproduction était évalué à 10 milliards de dollars par an. Il y avait déjà plus de quatre cents cliniques de FIV, une douzaine de banques d'ovocytes, une centaine d'agences de GPA, de la petite boutique tenue par une ancienne mère porteuse, à la superstructure employant plusieurs dizaines d'avocats.

Dans cette chaîne de production, la mère porteuse n'est qu'un maillon. Ce n'est pas le premier poste de dépense. Chaque agence a ses petits secrets comptables, mais voilà un exemple de structure des coûts d'une GPA, transmis par une agence du Midwest :

- Frais d'agence : 15 000 dollars
- Mère porteuse : 30 000 dollars (+ 5 000 si elle est expérimentée, paiement mensuel à partir du premier battement de cœur)
- grossesse multiple : 7 000 dollars
- frais médicaux et légaux : 45 000 dollars
- transfert d'embryon : 750 dollars
- confirmation du battement de cœur : 250 dollars
- amniocentèse / réduction embryonnaire : 500 dollars
- fausse couche : 500 dollars
- césarienne : 5 000 dollars

Difficile de s'en sortir à moins de 90 000 dollars. Comptez bien 30 000 dollars de plus avec un don d'ovocytes, quelques milliers supplémentaires pour un diagnostic préimplantatoire qui dépistera les éventuelles maladies génétiques et le sexe du bébé, ou encore d'autres options... La palette est riche.

Le contrat passé entre la mère porteuse et les parents intentionnels détaille également par le menu l'échelonnement des rémunérations qui seront versées à la gestatrice.

Exemple :

1. Les parents s'engagent à payer la somme de 27 000 dollars. Cette compensation sera versée en dix mensualités égales, avec un premier versement à la confirmation de la grossesse.

2. En cas de grossesse multiple, les parents s'engagent à régler un bonus de 2 000 dollars par enfant additionnel à la gestatrice.

3. Les sommes dues seront consignées sur un compte bloqué avant le début de la FIV.

4. La somme entière sera due après 32 semaines de grossesse.

5. En cas de césarienne, la gestatrice recevra 500 dollars supplémentaires.

6. Pour un cycle de FIV complet qui ne donnerait pas lieu à une grossesse, la gestatrice recevra également la somme de 500 dollars.

Le contrat doit également prévoir dans le détail les indemnités kilométriques pour les visites médicales, les compléments alimentaires, les dépenses courantes liées à la grossesse (300 dollars par mois), les vêtements de maternité, une aide ménagère, une compensation en cas de perte de revenus pour cause d'alitement ou encore la participation éventuelle à un groupe de soutien…

Comme le textile ou l'automobile, le secteur de la GPA n'a pas échappé à la mondialisation. Par la demande d'abord : des clients du monde entier ont afflué aux États-Unis, aujourd'hui encore le seul pays à permettre à toute personne en mal d'enfant – pourvue d'un compte en banque bien garni – d'en avoir. Puis, petit à petit, par l'offre. En Inde, en Thaïlande, en Ukraine, à Chypre, des filières low cost se sont mises en place, avec plus ou moins de bonheur, plus ou moins de légalité. Les fournisseurs de gamètes ont eux aussi diversifié leurs catalogues.

En Ukraine, un donneur de sperme est rémunéré 10 dollars, une donneuse d'ovule, 300 dollars. Aux États-Unis, les prix grimpent à respectivement 300 et 7 000 dollars, selon que le profil du donneur ou de la donneuse est plus ou moins recherché… Bien plus si cette dernière sort d'une université prestigieuse, qu'elle a une plastique de top model et un premier prix de violon. La Société américaine de médecine reproductive a beau recommander de rester dans la fourchette de 5 000 à 10 000 dollars, comment empêcher de riches parents intentionnels de s'attacher les services d'une donneuse qu'ils jugeront exceptionnelle, comme promesse d'avoir un bébé 4 étoiles ?

Certains pays sont désormais devenus des fournisseurs mondiaux. Pour le sperme, c'est le Danemark : CyrosDenmark se présente comme le leader sur le marché, avec le plus gros catalogue au monde et des clients dans quatre-vingts pays. Les donneurs touchent 15 à 75 dollars par « don », qui sera revendu entre 50 et 1 140 dollars, selon les caractéristiques, l'âge, la taille, le poids, le profil socio-économique du donneur. La qualité du produit compte aussi : elle est évaluée sur le critère de la mobilité, c'est-à-dire le nombre de spermatozoïdes mobiles par millilitre après décongélation. Le site du groupe est très clair : on clique, on ajoute au panier... Prix hors taxe, paiement en ligne possible, livraison sous un mois garanti. Plus fort que La Redoute : 95 % de la production de CyrosDenmark est exportée.

Pour les ovules, la mecque, c'est l'Espagne. La loi y est permissive, la FIV accessible à tous, l'anonymat de la donneuse assuré et la rémunération, assez attractive pour attirer en nombre les candidates qui touchent jusqu'à 1 000 euros par prélèvement. Dans les pays qui l'autorisent, la vitrification des ovocytes, une technique récente, qui s'est considérablement améliorée au cours de ces dernières années, a encore considérablement augmenté l'offre. Les clients ont désormais l'embarras du choix.

Évidemment, avec ses fournisseurs, ses producteurs, ses sous-traitants, ce marché mondial de la procréation peut sembler choquant… Surtout vu de France, où tout cela est sévèrement encadré, voire totalement interdit. Certes, le don, qu'il s'agisse de sperme ou de gamètes, est autorisé mais à deux conditions : anonymat et gratuité. Aucune indemnisation ni compensation n'est autorisée. Et interdiction pour une donneuse d'en faire bénéficier une amie ni même un membre de sa famille. Ce don peut juste faire avancer celle-ci de quelques crans sur une liste d'attente tellement interminable que les femmes qui en ont les moyens s'en vont le plus souvent faire leur FIV à l'étranger.

Pour le Dr Antonio Pellicer, spécialiste espagnol de l'obstétrique, considéré comme l'une des sommités de la procréation médicalement assistée, c'est absurde : « Les lois françaises sont à la fois restrictives, hypocrites, et très pénalisantes pour les femmes », regrette le fondateur d'IVI, l'Institut valencien de la fertilité qui attire des patientes en quête d'ovules, venues de toute l'Europe. 20 % de ses patientes sont étrangères, en majorité italiennes et françaises. Elles sont acceptées jusqu'à 50 ans. « La société a changé. Les femmes font des études plus longues, ont des carrières plus tardives, la durée de vie s'allonge. » Mais pas leurs horloges biologiques. Les donneuses avec lesquelles il travaille ont 24,5 ans en moyenne : « C'est l'âge biologique idéal pour la maternité, le moment où la production d'ovocytes est à son maximum. » Que des donneuses soient rémunérées lui semble la moindre des choses : « Le prélèvement n'est pas un acte neutre. » C'est même carrément agressif : trois semaines de piqûres hormonales, une anesthésie, des ponctions, sans parler des risques médicaux... Peut-on demander à une femme de supporter tout cela par pure générosité ? « Si on veut plus de donneuses, et c'est clairement le cas, car le manque est criant, partout dans le monde, deux conditions doivent être remplies : l'anonymat et la compensation financière. » Selon lui, l'un ne va pas sans l'autre : « La Grande-Bretagne propose 750 livres, mais lève l'anonymat : ça ne marche pas. La France impose l'anonymat mais interdit d'indemniser : il n'y a pas de candidates. » Le Pr Pellicer n'est pas un partisan du laisser-faire. Il est opposé à la modulation des prix selon le profil de la donneuse, s'insurge contre le trafic d'ovocytes qui proliférerait dans certains pays de l'Est. « Il faut développer une approche éthique, encadrer les indemnités financières, limiter le don à deux par an. » En France, la plupart des spécialistes de la stérilité, confrontés chaque jour au désespoir de femmes stériles, lui donnent totalement raison. « Il ne s'agit pas de légitimer le bébé à tout prix, mais d'être pragmatique », souligne le Pr François Olivennes, qui plaide également pour une politique active du don. Les chiffres parlent d'eux-mêmes : trois cents patientes seulement en bénéficient chaque année en France. Et huit mille ont dû se rendre à l'étranger. « Les débats enflammés autour des mères porteuses qui concernent quelques dizaines de cas par an occultent cette pénurie qui est un véritable drame pour les familles », explique le célèbre obstétricien. Lever l'anonymat ne lui semble pas absurde. « Sans aller jusqu'au supermarché de l'ovocyte américain, et au bébé choisi sur catalogue, on pourrait tout de même autoriser un peu plus de souplesse. Certaines femmes voudraient pouvoir bénéficier d'un don de leur sœur, ou connaître au moins les caractéristiques de leur donneuse. Ça ne me semble pas choquant. »

Pour les Américains, le carcan français est carrément une hérésie : « Dans votre société paternaliste, c'est le médecin qui décide de tout. Vous allez être parents, mais n'avez pas le droit de voir de photos de celle qui va donner la moitié du capital génétique de votre enfant, vous ne connaissez pas son parcours, ni son histoire médicale. C'est quand même fou », s'étonne John Weltman. N'y a-t-il pas tout de même quelque chose de gênant à sélectionner une mère génétique sur catalogue ? « C'est la même chose que de choisir un partenaire dans la vie. On choisit en général quelqu'un qui nous plaît et avec lequel on est compatible. » L'obstétricien Brian Kaplan, qui dirige une clinique spécialisée à Chicago, lui donne raison : « En France, vous enlevez toute liberté personnelle au patient. Et ne me dites pas que c'est plus égalitaire. Si le médecin vous connaît, si vous lui êtes recommandée, vous serez certainement mieux lotie qu'une autre. Chez nous, c'est le client et lui seul qui décide. Pour un projet aussi important, ça me semble la moindre des choses. »

Ce médecin d'origine sud-africaine, la petite soixantaine affable et sympathique, éternellement bronzé, s'est fait une place de choix dans le business de la reproduction à la fin des années 1980, dès la fin de ses études : « Je sentais que ça allait devenir une industrie majeure. La technologie était là, ça évoluait très vite, avec une croissance annuelle à deux chiffres... C'était très excitant ! » Les conditions, selon lui, sont optimales : « Pas de régulation, pas de lois... juste l'offre et la demande. » Le rêve ! « Chez vous, c'est le gouvernement qui régule tout. Chez nous, c'est la concurrence. Seuls les meilleurs survivent. Vous ne pouvez pas vous permettre d'être médiocre. » Il pilote sa petite entreprise en pro du marketing viral, avec comptes Facebook et Twitter ultra-actifs. Quatre salariés s'occupent à temps plein des relations clients. « Comme dans n'importe quel business, le marketing est très important. Il faut bien comprendre ce que veut le marché. Le consommateur est intelligent. Il va chercher le meilleur produit. » Surtout quand la concurrence est mondiale : « Quand j'ai démarré, c'était encore une activité de proximité.

Aujourd'hui, le client a le choix. En quelques clics, il peut décider d'aller en Inde, en Ukraine. Il choisit la technologie. Il compare les taux de succès. Il va chercher des avis d'autres clients. Si vous voulez rester compétitif, il faut être à la pointe de la technologie. » Sacré Dr Kaplan. Alors que ses concurrents n'ont que les mots et expressions « bonheur », « joie de la famille », « don de soi » et « miracle de la vie » à la bouche, cet obstétricien totalement décomplexé est dans le calcul des parts de marché : « Mais oui, c'est une industrie, au même titre qu'Apple ou Microsoft. Ce qui compte, c'est l'excellence, la réputation, la satisfaction du client », répète-t-il à l'envi. Si le client veut sélectionner le sexe du bébé, pourquoi pas : « Il suffit qu'il paie, puisque aucune loi ne l'interdit. » Même chose s'il veut tester le capital génétique du bébé grâce au diagnostic préimplantatoire. « Si la technologie le permet, chacun peut faire ce qu'il veut. » En bon professionnel, il s'engage en revanche à ne jamais faire de promesses irréalistes, préférant orienter immédiatement ses patientes vers le don d'ovocytes plutôt que de leur laisser de faux espoirs et de multiplier les essais voués à l'échec. « Comme dans n'importe quelle industrie, il faut fournir les prestations promises. » Sur les 3 000 FIV qu'il fait chaque année, 500 sont réalisées avec des donneuses. Et 120 avec des mères porteuses : « C'est un petit segment de marché stable, mais rentable. »

Il pourrait élargir sa clientèle, mais le prix reste une importante barrière à l'entrée.

Comme certains de ses concurrents, il a bien pensé délocaliser une partie du business en Ukraine ou encore au Népal. « Ils l'ont fait parce que c'était à la mode de prétendre être une agence internationale. Et beaucoup l'ont regretté. Ce n'est pas si simple. » Au Népal, des embryons ont été mélangés, comme l'ont prouvé des tests ADN demandés par des parents intentionnels. En Thaïlande, une mère porteuse a finalement décidé de garder la petite fille qu'elle avait eue pour un couple américano-espagnol en découvrant que ses clients étaient deux hommes. Il faudra un an de démarches à ce couple avant de pouvoir ramener la petite Carmen chez eux. Au Mexique, un couple de Californiens a dû attendre des mois avant de se voir délivrer le certificat de naissance de leur fils parce que, entre la FIV et la naissance du bébé, la loi avait changé… Pas question pour ce médecin de se lancer dans ces galères. Prudent, il préfère « garder le contrôle de la production ».

Ses seules limites sont médicales. Ainsi, il n'a aucun état d'âme à permettre à une femme de 52 ans d'avoir un enfant, mais préférera, pour sa santé, qu'elle ait recours à une mère porteuse. Il tente aussi de dissuader les futurs parents de vouloir à tout prix implanter plusieurs embryons dans le ventre de la mère porteuse. « C'est de moins en moins nécessaire, insiste le médecin. Grâce aux diagnostics préimplantatoires, on est en mesure de tester les embryons, et de n'implanter que ceux qui ont le plus de chances de s'enraciner avec succès. C'est un progrès considérable, qui devrait limiter les grossesses multiples. » Mais bien sûr, *in fine*, c'est le client qui décide.

N'a-t-il pas, quelquefois, l'impression d'être à la tête d'une chaîne de production plutôt que d'un centre d'obstétrique ? « Tout s'achète dans ce pays. Et, après tout, quelle que soit la manière dont vous le concevez, un bébé a toujours un coût. »

3

Son ventre, mon bébé

Dans ce minuscule studio meublé au cœur de Chicago, Carla compte les heures qui la séparent de son confortable appartement de Buenos Aires. Élégante, fine et déterminée en famille, cette avocate a hâte de rentrer chez elle avec ses deux enfants et son mari. Ils ont fait le voyage pour venir chercher ici leur petit dernier. Voilà près de trois semaines qu'ils sont là. Pour être sûre de ne pas manquer l'accouchement de son fils, elle a prévu large. Âgé de quelques jours, Sebastian dort paisiblement dans ses bras. Malgré ses cernes de jeune maman, elle est heureuse. Elle n'a pas porté ce bébé, né d'une gestatrice après une FIV effectuée à partir de ses propres ovocytes et du sperme de son mari. Mais c'est elle qui a coupé le cordon de ce beau bébé de 3,5 kilos qui a les yeux sombres de sa maman, le nez de son papa. C'est en tout cas ce que disent ses parents. Carla a toujours su qu'elle ne pourrait jamais avoir d'enfants. La jeune femme n'est pas stérile, mais elle souffre d'une malformation utérine qui rend une grossesse impossible. Son fils aîné Luke, qui a sept ans, a lui aussi été porté par une Américaine qu'elle n'a depuis jamais revue. Contrairement à d'autres « parents intentionnels » qui ont su nouer une véritable amitié avec leur mère porteuse, Carla n'a guère d'affection pour les gestatrices de ses enfants. Pour elle, il s'agit avant tout d'une relation « professionnelle et commerciale » dans laquelle elle met peu d'émotion : « Je ne crois pas à l'amitié qui repose sur une transaction financière. » Sans doute enverra-t-elle à Sarah une carte à Noël, avec des nouvelles succinctes du bébé, « et basta ». Les exigences de certaines mères porteuses qui réclament vêtements de grossesse, aides ménagères et qui « trouvent encore le moyen de monnayer leur lait » une fois le bébé né l'exaspèrent. Mais Sebastian est dans ses bras, absolument parfait, et elle est heureuse : « Si j'accepte de témoigner, c'est pour donner un espoir aux parents. Le recours aux mères porteuses n'est pas une voie facile. C'est très cher, c'est émotionnellement difficile. Il faut s'entourer de nombreuses précautions. Mais lorsqu'on veut vraiment un enfant, qu'on a tout essayé, qu'on n'a pas d'autre choix, ça peut être une merveilleuse solution ! »

Barbara, elle, considère Diane, qui a donné naissance à ses jumeaux, comme sa meilleure amie. Elle l'a d'ailleurs nommée marraine d'un de ses enfants. À 42 ans, cette éditrice de Washington s'est résolue à faire appel à une mère porteuse après une première grossesse qui a failli lui coûter la vie. « Même si on les rémunère, le cadeau qu'elles nous font n'a pas de prix, dit-elle. Nous avons tant partagé ensemble. » Barbara n'a manqué aucun rendez-vous médical, échangeant quasi quotidiennement avec Diane, qui vit pourtant à 400 km de chez elle. Elle se souvient encore de son émotion, lors de la première échographie, en entendant battre le cœur du fœtus, de cette envie de pleurer quand le médecin a essuyé le gel du ventre de la femme qui portait son bébé… « Ceux qui caricaturent la GPA en l'achat d'un bébé sur mesure ne savent pas de quoi ils parlent, dit-elle. C'est un parcours très difficile, des montagnes russes d'émotions et de stress. Mais au bout, quel bonheur ! »

Toutes le reconnaissent : pas facile d'établir la bonne distance avec celle que vous payez pour donner naissance à votre enfant. « Il y a une transaction financière, mais, évidemment, aussi bien plus que cela. On entre en *terra incognita*, sans savoir comment les choses vont se passer, sans pouvoir maîtriser grand-chose. Oui, ça fait peur », confie ainsi Éloïse, une jeune Française croisée sur un forum dédié aux futurs parents, qui s'apprête à signer un contrat avec une mère porteuse en Californie. Souvent, elles évoquent la rencontre comme un rendez-vous amoureux : « J'avais choisi mes vêtements avec soin et j'avais le cœur qui battait fort. Allait-elle me plaire ? Et si elle ne voulait pas de nous ? Comment lui parler ? C'était terriblement stressant », se souvient Stefany, qui dit avoir aimé la première mère porteuse qui lui a été présentée « au premier coup d'œil ». « C'est comme si on se connaissait depuis toujours. Nos maris se sont immédiatement bien entendus. J'ai eu l'impression d'être avec une amie. Mais ça ne veut pas dire que c'est facile pour autant. C'est une relation difficile, exigeante, avec des hauts et des bas, ou chacun doit être très attentif à respecter les barrières mutuelles. » Chaque rencontre, chaque « match », selon la terminologie des agences, entre la mère porteuse et les futurs parents est une histoire particulière. Et elles ne se terminent pas toutes bien. Stefany a une amie, stérile comme elle, qui a vécu l'enfer : « La mère porteuse, de qui elle avait commencé par être très proche, n'a cessé de lui extorquer de l'argent, utilisant sa grossesse et le bébé pour faire pression sur elle et la manipuler. L'horreur. Ça ne l'a pas empêchée de recommencer car elle voulait un second enfant. Mais cette fois, elle a demandé à l'agence d'établir une relation purement professionnelle, claire et nette. Et cette fois tout se passe bien. »

En Ukraine, la plupart des agences ne laissent même pas le choix de la mère porteuse aux futurs parents : à quoi bon, puisque la relation est purement commerciale. Les parents la rencontrent au plus tôt à la quatorzième semaine de grossesse. Et souvent plus jamais jusqu'à la naissance ! Ils se contenteront de bilans médicaux et d'échographies. Au moins les choses sont claires. Aux États-Unis, au contraire, les agences tendent à « humaniser » ce parcours commun, encourageant les uns et les autres à entretenir des relations de confiance, respectueuses et équilibrées, et s'engagent à les coacher en ce sens tout au long du parcours... Souvent, les futurs parents sont invités à rédiger, avant la première rencontre avec la mère porteuse, une petite lettre de motivation, pour se présenter, prouver dans la mesure du possible qu'ils seront de bons parents et qu'ils ont les moyens d'élever un enfant... Parler de leur superjob, sans laisser penser qu'ils sont carriéristes. Évoquer leurs revenus, sans paraître matérialistes. Bref, comme sur un site de rencontres, donner à la mère porteuse l'envie de faire leur connaissance.

« La relation entre la mère porteuse et les parents intentionnels est l'une des questions qui préoccupent le plus les futurs parents. Elle varie considérablement d'un couple à l'autre et évolue souvent au fil de la grossesse, reconnaît Nancy Telman Block, une ancienne infirmière en obstétrique qui a créé sa petite agence à côté de Chicago. Les mères porteuses ne cherchent pas forcément une meilleure amie. Elles veulent vous aider à créer une famille. Mais elles ont aussi leur vie. Certaines peuvent être blessées par ce qu'elles ressentent comme de l'indifférence. D'autres, au contraire, redoutent d'avoir affaire à quelqu'un qui cherchera à les contrôler. Pour les futurs parents, ce n'est pas toujours facile à comprendre. »

Après avoir eu un « coup de foudre » – un terme très fréquemment employé par les futurs parents après une première rencontre avec « leur fée », comme ils l'appellent, il n'est pas rare que le conte vire à l'aigre au fil des mois. Rien d'étonnant : il y a tant d'enjeux, d'attente, d'anxiété de part et d'autre. Souvent, la différence de milieu, et quelquefois aussi de culture, entre des parents aisés et des mères porteuses plus modestes n'aide pas à bâtir une relation saine. Il y a l'argent, aussi. « Même si les agences ou les avocats font les intermédiaires et nous épargnent toute transaction financière directe, c'est difficile de ne pas penser à toutes ces sommes payées pour quelque chose que vous aimeriez tant faire vous-même », confie Cheryl, sur le site Surrogate.com. La jeune femme, enseignante, en est même venue, par jalousie, à secrètement détester cette femme qu'elle pensait au départ être une amie : « En voyant son ventre s'arrondir, j'avais l'impression irrationnelle qu'elle me volait ma grossesse, que mon mari s'intéressait plus à elle qu'à moi, que je n'existais plus. J'ai eu peur que mon enfant s'attache à elle. »

Pour Laurie, c'est la relation au bébé qui a été difficile : un témoignage rare, tant le sujet est tabou. Mais sur ce même forum, la jeune femme qui a eu son bébé *via* une mère porteuse confie son baby blues : « Je n'arrivais pas à m'enlever de la tête que je n'étais pas "juste la baby-sitter". Ça m'a pris du temps de sentir que j'étais la "vraie maman", que j'avais un vrai bébé, un bébé vivant qui avait vraiment besoin de moi. Les trois premiers mois, je me suis sentie débordée, épuisée, en situation d'échec. J'avais ce nouveau-né à la maison, et ça ne ressemblait en rien à ce que je m'étais imaginé. Nous avions passé tant d'années à essayer d'avoir ce bébé... Je me suis pris la réalité en pleine face. » Elle se souvient encore du premier jour où elle s'est vraiment sentie mère : « On était en vacances, personne ne connaissait notre histoire, tout le monde nous voyait comme une famille. Et quelqu'un m'a dit que ma fille était adorable, et qu'elle me ressemblait énormément. » Le bébé étant né grâce à une donneuse d'ovocytes, Laurie n'avait aucun lien génétique avec lui, mais qu'importe : « Ça m'a fait un bien fou d'entendre ça. Il y a eu un déclic. J'ai eu le sentiment que ce que j'avais fait avait du sens ; le bébé commençait à trouver son rythme. Je n'étais plus "juste la baby-sitter". » Six ans plus tard, plus de problème : « Je suis vraiment la mère de ma fille. »

Quels que soient leur âge, leur origine, leur milieu social, toutes ces femmes sont passées par une épreuve commune : le drame de l'infertilité. Et quelquefois des années de traitement. Un parcours douloureux, éprouvant, dont elles sont sorties laminées. 80 millions de couples seraient aujourd'hui concernés par l'infertilité dans le monde, un fléau qui ne cesse de gagner du terrain. Pollution, grossesse de plus en plus tardive, les raisons sont multiples. Ce bonheur si évident et si naturel pour tous ceux qui ont eu la chance de concevoir leurs enfants sans même y penser leur est refusé. Souvent, la découverte de cette stérilité est d'autant plus brutale qu'elle est tardive. Le diagnostic posé, commence alors un long et souvent terrible parcours du combattant. Seulement 30 % des FIV réussissent. Chaque échec se solde par une tristesse sans bornes, un profond sentiment d'injustice. « On finit par ne plus penser qu'à ça. Au bureau, dans son couple, avec ses amis, ces traitements envahissent toute ta vie, reconnaît Stella, 36 ans, qui a subi cinq FIV successives sans succès. Et à chaque échec, un tel chagrin… C'est comme si un sac de briques te tombait sur la tête. » Difficile d'imaginer les piqûres quotidiennes, les kilos et les effets des traitements hormonaux, le moral en montagnes russes, le sentiment d'exclusion et de solitude, durant ces soirées où les jeunes parents échangent pendant des heures sur les sourires et les premiers pas de leurs nourrissons : « On ne peut regarder une femme enceinte sans avoir envie de pleurer. On tourne la tête en croisant une poussette, les magasins de puériculture sont un supplice. Et on se demande sans cesse ce qu'on a fait pour mériter une telle punition. Et arrive le moment où on est prête à tout pour avoir ce bébé. »

Toutes ont eu droit, à un moment ou à un autre, à « la phrase qui tue » : « Ce n'est pas grave, tu n'as qu'à adopter... » Comme si c'était aussi simple ! Toutes les candidates à la GPA y ont bien sûr pensé. Carla la première, la jeune mère de Buenos Aires, qui a toujours su qu'elle ne pourrait porter d'enfants. Ce qu'elle a découvert l'en a dissuadée. « L'idée selon laquelle adopter un enfant serait une démarche pure, généreuse où l'on sortirait un enfant de la misère, et la GPA un acte égoïste où on achèterait un enfant conçu sur mesure, est complètement fausse, tranche-t-elle. Dans l'adoption, il y a du piston, des critères biaisés, des attributions sans aucune transparence. Et ça coûte très cher aussi. Souvent, on n'est pas loin du trafic d'enfants. » Ensuite, quoi qu'en disent souvent ceux qui ont eu des enfants sans difficulté, il y a la peur : peur d'être confrontés à un enfant irréversiblement traumatisé, d'avoir un enfant victime d'alcoolisme fœtal, un enfant malade… Tous les parents ne se sentent pas armés pour y faire face. Troisième et ultime raison : des enfants adoptables, il n'y en a plus, ou si peu. Ni en France ni dans le reste du monde. D'année en année, les différentes sources de l'adoption se sont taries. Les chiffres parlent d'eux-mêmes. Côté offre, il y aurait en France environ 2 000 enfants pupilles de l'État, dont 800 environ seulement sont adoptables, les autres ayant conservé des liens avec leurs familles d'origine ou étant placés dans une famille d'accueil qu'ils ne peuvent pas quitter. Côté demande, 35 000 couples français sont titulaires d'un agrément en vue d'adoption, un document délivré par l'Aide sociale à l'enfance (l'ASE) sous l'autorité du conseil général du département de résidence, en attente d'un enfant. Et quelque 5 000 nouveaux agréments sont délivrés chaque année.

En ce qui concerne l'adoption internationale, la situation n'est guère plus favorable : il y a eu, en France, 815 adoptions internationales en 2015 contre 4 000 en 2006. Depuis 2010, alors que la demande ne cesse d'augmenter, le nombre d'adoptés a été divisé par deux. La baisse est régulière, constante et irréversible. Les délais d'attente se comptent en années. Il n'est pas rare que les familles aient attendu six, sept ou huit ans avant de se voir attribuer un enfant, pas forcément en bonne santé : 60 % des enfants désormais accueillis par des familles françaises sont considérés comme « enfants à besoins spécifiques » : fratries de deux, trois ou quatre enfants, enfants de plus de 5 ans, enfants malades ou handicapés… En 2014, moins de 7 % des enfants adoptés à l'international avaient moins d'un an et plus d'un tiers d'entre eux avaient fêté leurs 5 ans.

Cette pénurie de bébés sur le marché de l'adoption ne doit rien à une miraculeuse amélioration des conditions de vie des enfants dans les pays d'origine ou à un contrôle des naissances plus efficace. Par sentiment de fierté nationale, pour raisons politiques, parce qu'ils veulent se débarrasser de l'image de réservoir d'enfants pauvres pour les familles des pays riches, vingt-deux pays en voie de développement ont totalement refermé les portes de leurs orphelinats en moins de cinq ans. La convention de La Haye – selon laquelle les pays doivent privilégier l'adoption nationale – a un peu plus restreint les possibilités. Ainsi, impossible désormais d'adopter en République démocratique du Congo, en Guinée, ou à Djibouti. D'autres pays comme la Chine, la Russie ou le Vietnam se montrent également de plus en plus restrictifs.

Comme la plupart des femmes stériles, Zara Griswold, elle aussi, a bien commencé par penser à l'adoption. Un cancer des ovaires à 22 ans a brisé net son rêve de grossesse. C'était au début des années 1990. Deux ans plus tard, tout juste mariée, elle contacte les organismes spécialisés et découvre qu'il lui faudra attendre cinq ans avant d'être simplement éligible. Elle ne peut s'y résoudre. « C'était une souffrance terrible, pour moi qui avais toujours rêvé d'avoir des enfants, et aussi une énorme culpabilité vis-à-vis de mon mari », raconte cette énergique quinquagénaire brune et vive, aujourd'hui à la tête de Family Source Consultants, une importante agence de GPA à Chicago. C'est une amie qui lui parle pour la première fois de l'option « mère porteuse ». Dans la classe de sa fille, un petit garçon est né ainsi. « J'ai tapé les mots magiques sur Internet… et découvert un monde dont j'ignorais l'existence ! Des centaines et des centaines d'annonces de femmes qui proposaient d'être gestatrices. Au début, ça m'a semblé fou. » Elle sait qu'il lui faudra aussi une donneuse d'ovocytes : là encore, après quelques clics, apparaissent des listes et des listes de volontaires, prêtes à vendre leurs ovules à des couples en mal d'enfants. « Très vite, tout cela m'a obsédée. Je passais ma journée à lire et à relire toutes ces annonces. » À faire et à refaire des calculs, aussi. Le total est faramineux. Comment diable pourraient-ils s'acquitter d'une telle somme, alors que son mari et elle viennent à peine de quitter l'université ? Son conjoint est réticent, c'est bien trop cher pour eux. Il préfère s'en tenir à l'adoption. Elle s'obstine. En parle à son amie

Juliana, qui lui propose de donner ses ovocytes… Très brune et typée comme Zara, la jeune femme originaire d'Argentine a le profil idéal : « Elle n'était pas seulement jolie, mais aussi intelligente, drôle, sympathique. » Comblée par son propre fils de 9 ans, la jeune femme s'engage à n'avoir aucun attachement particulier avec ce futur bébé à naître. Elle l'aimera bien sûr, parce que ce sera l'« enfant de son amie », ni plus ni moins que s'il avait été adopté, conçu naturellement, ou par toute autre manière. « J'avais trouvé ma donneuse parfaite », dit Zara.

C'est en ligne aussi, sur le site spécialisé SMO.com (Surrogate Mothers Online – mères porteuses en ligne) –, le « Particulier à particulier » de la GPA, que Zara va se mettre en quête de la mère porteuse idéale. Première rencontre avec une candidate qui habite à dix minutes de chez elle. Mais le premier contact passe mal. Elle n'est pas à l'aise, la jeune femme non plus. Sans surprise, deux jours plus tard, celle-ci lui laisse un message disant qu'elle n'est plus intéressée. Le second contact sera le bon : à 22 ans, mariée, Ashley a un enfant de 2 ans. Les deux couples vivent à deux heures de route, « assez proche pour suivre de près la grossesse », selon Zara. Au bout de quelques semaines, les contrats sont établis, le transfert est programmé. Juliana, la donneuse accepte sans broncher les contrecoups de pénibles stimulations ovariennes : « Combien de personnes ont la possibilité et la chance de faire quelque chose d'aussi important dans leur vie ? » 25 ovocytes sont prélevés. Les meilleurs sont fertilisés avec le sperme du mari. Lors de l'implantation dans l'utérus de la mère porteuse, cinq jours plus tard, les deux femmes se tiennent par la main. « Un instant de grâce », dit Zara, qui va assister, avec son mari, à toutes les visites médicales. Neuf mois durant, il y aura des hauts et des bas dans leur relation, d'inévitables tensions, comme lorsque la gestatrice décide, à six mois de grossesse, de faire deux heures de route deux fois par semaine, en plein hiver, pour suivre des cours du soir… Zara parviendra à l'en dissuader. Mais dans le livre qu'elle a consacré à son expérience et à celle de plusieurs de ses clients, aujourd'hui encore, elle s'interroge : « Cette femme portait nos enfants, mais elle avait aussi sa vie. Jusqu'où pouvions-nous contrôler ses faits et gestes ?… »

Dix ans plus tard, elle se souvient encore avec émotion de la naissance de ses jumeaux, du vertige qui l'a saisie quand la tête toute chevelue des bébés, un garçon et une fille, est apparue. « Un moment gravé en moi pour toujours. » Bon an mal an, elle est parvenue à maintenir une bonne relation avec Ashley, la mère porteuse, mais elle l'avoue aujourd'hui : « L'infertilité est une terrible épreuve. C'est même, à mon sens, l'une des épreuves les plus douloureuses auxquelles un couple peut être confronté. Je connais cette douleur, et je veux dire à ces parents en mal d'enfant qu'il y a des solutions. » Elle n'a jamais caché à ses enfants la vérité sur leur conception : « On leur a toujours expliqué les choses avec des mots adaptés à leur âge. D'abord que le ventre de maman était cassé, et que nous avions besoin de quelqu'un pour nous aider à avoir nos enfants. Puis nous avons expliqué le don d'ovocytes. En fait tout cela est une part de notre vie de famille, de notre réalité, quelque chose que nos enfants ont toujours considéré positivement. »

Difficile de recueillir des témoignages d'enfants. Beaucoup, c'est vrai, sont encore petits. « Revenez pour le tome 2 », répond en riant Deborah, dont la fille a 5 ans. Les plus grands répugnent à parler. « Ils n'ont rien de spécial à dire et en ont assez qu'on leur rappelle la manière dont ils sont nés », dit le père de deux adolescents. Sur le blog « I am the product of surrogacy » (« Je suis le produit d'une GPA »), une jeune Américaine, née d'une mère porteuse, violemment opposée à la GPA et au don d'ovocytes, se plaint d'avoir été « achetée et vendue comme un objet » et d'avoir été rejetée par sa « vraie mère biologique ». Son expérience donnera raison aux détracteurs du recours à ces pratiques. Difficile cependant d'en tirer une généralité. Aucune étude n'a encore été réalisée sur ce sujet. « L'essentiel, c'est d'être capable de parler de vos choix à vos enfants », assure Dominique Mennesson. Avec sa femme Sylvie, ils ont été parmi les premiers Français à avoir recours à une mère porteuse aux États-Unis en 1998. Ils ont voulu faire de leur histoire un combat symbolique au nom d'un principe simple : « Si vous avez honte de ce que vous voulez faire, il ne faut pas le faire. » Ils se sont tournés vers la GPA, après avoir découvert que Sylvie, atteinte d'une malformation utérine, ne pourrait jamais être enceinte. Elle tente d'abord plusieurs FIV avant de faire appel à une donneuse d'ovocytes et à une mère porteuse américaines. Ses filles, Fiorella et Valentina, nées en 2000, ont accepté de témoigner dans *Le Figaro*, en 2014, pour expliquer qu'elles étaient « des ados comme les autres ». « Je pense qu'à l'heure actuelle, la plupart des gens pensent que nous sommes des victimes de la société, que nous sommes des enfants malheureux. Alors que moi et ma sœur, on est plutôt heureuses ! On est des ados comme les autres, avec nos joies et nos problèmes d'enfants de 14 ans. En fait, je voudrais leur dire que nous sommes normales, explique Valentina. Dans les journaux, on s'imagine que je souffre de cette situation. Certains de mes amis le pensent. Mais pas du tout, je veux leur dire que je n'ai aucune pression et que tout va bien. D'ailleurs, je trouve que ma vie est cool. Au moins je ne suis pas née comme tout le monde et je n'ai pas la vie d'un enfant lambda. » « On m'a plusieurs fois demandé si je me sentais plus française qu'américaine. On me dit que je dois faire un choix entre les deux. Mais, pour moi, je n'ai pas à le faire : je suis née aux États-Unis mais j'ai grandi en France. Je pense qu'il n'y a rien qui me différencie des autres enfants. J'aimerais avoir les mêmes papiers que tout le monde et être reconnue comme française à part entière », ajoute Fiorella. Quand on lui demande qui sont ses vrais parents, la jeune fille n'a aucun doute : « La question ne devrait pas se poser. Ma mère est ma mère, mon père est mon père. Une mère, ce n'est pas celle qui porte, c'est celle qui désire et qui aime l'enfant. Beaucoup de gens utilisent le mot "mère porteuse" alors que ce n'est pas ça une mère. Moi je préfère dire "gestatrice", la dame qui fait la gestation. Si on utilisait plus ce terme-là, ça éviterait de mettre de la confusion dans le débat. » Quinze ans après leur naissance, leurs parents se battent encore pour obtenir la transcription de leurs actes de naissance sur les registres d'état civil et leur inscription sur le livret de famille.

4

Papas poules

Pour l'état civil, ils sont « parent 1 » et « parent 2 ». Pour leurs filles, ils sont « Daddy » et « Dadda ». À 4 ans, les deux fillettes, jolies petites blondes aux yeux clairs, sont à la fois jumelles et demi-sœurs. Lana et Sofia ont un drôle d'arbre généalogique. Elles ont une même mère biologique qu'elles ne connaissent pas mais pas le même père : la première est la fille biologique de Steve, ex-chef de pub. Lorsqu'on le rencontre à Boston, au printemps 2013, il a quitté son job pour devenir père au foyer. « Le temps que les filles entrent à l'école. » La seconde est la fille de John, promoteur immobilier, son mari. Ensemble depuis neuf ans, ces quadragénaires aisés qui habitent une confortable maison au cœur de Boston voulaient depuis longtemps fonder une famille. Adopter ? Ils y ont bien sûr pensé. Aux États-Unis, la procédure permet à la mère biologique qui souhaite abandonner son enfant de désigner, pendant sa grossesse, la famille à qui elle va le confier. *A priori* rien ne lui interdit de choisir un couple gay. Mais les deux hommes se sont dit qu'ils avaient peu de chances que cela se produise. Les demandeurs étaient si nombreux ; ils avaient déjà 40 ans. Combien d'années avant d'avoir l'occasion de concrétiser leur projet ? Quant à devenir famille d'accueil, là encore, en admettant même qu'on leur confie un bébé, que d'incertitudes… « Et s'ils nous retiraient l'enfant une fois qu'on se serait attachés à lui ? On ne contrôlait rien », dit Mark, qui n'aime pas trop s'en remettre au hasard. Les deux hommes ont préféré confier leur projet à la science et à une agence spécialisée « qui s'est occupée de tout ».

Conçues par FIV, leurs filles sont nées d'une gestatrice, déjà mère de trois enfants habitant en Virginie, à 900 km de chez eux. Elle a accepté de porter deux embryons, un critère essentiel pour les deux hommes qui voulaient connaître le bonheur d'être pères en même temps tout en ayant chacun leur enfant biologique. Ils ont pu l'accompagner à tous les grands rendez-vous médicaux. Une grossesse sans histoire. Neuf mois plus tard, ils étaient à ses côtés dans la salle d'accouchement, coupaient le cordon et rentraient à Boston, « fous de joie », avec leurs bébés. La mère génétique, celle qui a fourni ses ovocytes, est une étudiante du Kentucky. Ils ne connaissent pas son nom. Les deux pères l'ont choisie sur le listing fourni par l'agence, parmi des centaines d'autres. « C'était un peu bizarre, reconnaît Mark, en se remémorant les longues heures passées avec son compagnon devant son écran à éplucher des profils. Le physique n'a pas été déterminant, même si ça a compté… Au fond, on a surtout choisi celle dont on se sentait le plus proches. Quelqu'un qui aurait pu être une amie. » Ils ne la rencontreront jamais mais sont en revanche restés en contact régulier avec la mère porteuse à qui ils rendent régulièrement visite. « Elle fait partie de nos vies pour toujours. » Aux fillettes, ils expliquent qu'il y a dans la vie toutes sortes de familles, et que certaines comportent deux papas. C'est comme ça. Cela ne semble pas les perturber : dans leur école maternelle, au moins six enfants sont dans la même situation.

Gays ou non, tous les couples ayant fait appel à la GPA avec don d'ovocytes le disent : l'épisode du choix de la donneuse d'ovules est perturbant : « Comme n'importe quel parent, quand on te pose la question, tu commences par répondre que tout ce que tu veux, c'est un enfant heureux et en bonne santé », racontent Matt et Gregg, un couple qui a tenu un blog tout au long de l'aventure, jusqu'à la naissance de leurs filles. Mais ce n'est pas si simple. « Tu te retrouves en face de dizaines de profils qu'il faut trier. Sur chacun d'eux, huit à dix photos. » Comme sur un site de rencontres, il faut évaluer, sélectionner, écarter… « Tu les juges sur une façon de sourire, sur leur manière de prendre la pose, sur le type de photos qu'elles ont postées. » L'une est trop banale, l'autre trop vulgaire ou, au contraire, trop austère, trop égocentrique, trop fêtarde… Les fiches comportent un tas d'informations : taille, âge, poids, couleur d'yeux et de cheveux, de la candidate, bien sûr, mais aussi de ses parents et de ses grands-parents. Figurent ses origines ethniques, son histoire familiale et religieuse, et ses maladies éventuelles. Mais ce n'est pas tout. « Tu vas aussi apprendre des tas de choses très personnelles sur elle : ses goûts, ses aspirations, ses résultats scolaires et sa sexualité ; si elle a porté un appareil dentaire quand elle était petite, si elle a déjà avorté, si elle a un petit ami, combien de partenaires sexuels elle a déjà eus… Ce qui la rend heureuse et ce qui la rend triste. Ses objectifs dans la vie… Une grand-mère a eu un cancer du sein ? Un grand-oncle malade d'Alzheimer ? Tu écartes sans même y penser. Tu sais que tout ça est subjectif, tu te sens un peu honteux de faire ce tri. Tout cela est très bizarre. Tu te retrouves à éliminer une donneuse parce qu'elle n'a pas eu que des 20/20 ou qu'elle a l'air de trop aimer faire la fête, comme si tu étais toi-même sorti de Harvard et que tu n'avais jamais bu un verre de trop… Tu voulais juste avoir un enfant, et tu as l'impression d'être une espèce d'horrible eugéniste. » Finalement Matt et Gregg ont choisi une donneuse « qui avait un joli sourire. Elle avait l'air heureux, sympathique, bien dans sa peau. Elle nous a tout de suite plu à tous les deux ».

Depuis juin 2015, par une décision de la Cour suprême, le mariage homosexuel est reconnu sur l'ensemble du territoire américain. Certes, la GPA n'y est autorisée pour les couples de même sexe que dans une dizaine d'États, mais l'homoparentalité, également légalisée sur l'ensemble du territoire, entre indéniablement dans les mœurs. Selon une étude du Williams Institute parue en 2013 (LGBT Parenting in the United States), 3 millions d'Américains se disant homosexuels ont des enfants, et 6 millions d'enfants ou d'adultes ont un parent gay. Les statistiques en matière de GPA n'existent pas, mais, selon les chiffres qui circulent dans les agences, 1 500 à 5 000 hommes, seuls ou en couple, habitant en ville ou à la campagne, venant de tous les milieux, feraient chaque année appel à une mère porteuse pour fonder leurs familles. C'est devenu un thème récurrent de sitcom et de séries grand public comme *The Modern Family*, ou encore *The New Normal*. « Quand j'ai ouvert mon agence, ce n'était pas évident de trouver des femmes acceptant de porter les enfants pour un couple d'hommes. Aujourd'hui, ce n'est plus un problème », affirme John Weltman. Au contraire.

Selon lui, de nombreuses gestatrices préfèrent travailler avec des gays qui ne regardent pas leur ventre arrondi avec envie : la relation est plus simple. Là au moins, pas de jalousie. Beaucoup essaient même, autour de ce projet d'enfant tant attendu, d'inventer de nouvelles formes de parentalité.

Installés dans un duplex confortable dans un quartier central de Chicago, Harold et Jamie en sont un parfait exemple. Avec leur petit Charlie de 2 ans et leur gros chien Oskar, ils semblent tout droit sortis d'une version gay d'une pub Ricoré. Voilà quatorze ans que cet ingénieur de 43 ans et cet infirmier de 39 ans vivent ensemble. En 2012, quand ils décident de construire leur famille, ils cherchent une donneuse d'ovocyte, de préférence typée comme Harold qui vient du Panama, et une mère porteuse qui n'habite pas trop loin. Ils trouvent la première sans trop de difficulté, mais, pour la seconde, c'est une autre histoire. Les deux hommes veulent non seulement suivre la grossesse de près, mais aussi garder des liens réguliers par la suite. Après bien des recherches, des consultations décourageantes, des rencontres peu concluantes, ils vont trouver la perle rare au sein même de leur propre famille : Kimberly est la cousine d'Harold. Lesbienne, elle vit avec Daisy avec qui elle a eu deux fois des jumelles. Elle va porter Charlie. À eux tous, ils forment une joyeuse tribu recomposée où chacun semble avoir aujourd'hui trouvé sa place. Tous les anniversaires et les fêtes se passent en commun. « Il n'y a pas de confusion sur les rôles, mais nous sommes très soudés. Quand Charlie va grandir, il se posera certainement des dizaines de questions. C'est formidable de penser que Kim sera là pour y répondre. » Les considérations financières ont pesé sur leur choix. La gestatrice a refusé d'être payée, mais ils ont tout de même fait appel à une agence : « On voulait que tout soit transparent, équilibré, que personne ne soit lésé. » Soins médicaux, assurances, frais d'agence, avocats… « On est arrivés à environ 80 000 dollars, calcule Jamie, ce qui est relativement peu par rapport à d'autres, mais tout de même… Il faut bien faire ses calculs avant de se lancer. On ne démarre pas une famille en faisant faillite. »

Certains s'endettent, quelquefois sur vingt ans. Tom et Mario, 29 et 31 ans, sont loin de rouler sur l'or. Les deux hommes, qui se sont rencontrés dix ans plus tôt durant leurs études en Espagne, ont emprunté de l'argent et carrément organisé une levée de fonds auprès de leurs proches pour financer leur projet parental. On les rencontre dans leur petite maison de banlieue, à une heure de Chicago. Pelouse impeccable, tonnelle fleurie et barbecue dans une ambiance *Desperate Housewives*, version petite classe moyenne. Mario, chaleureux et volubile, et Tom, réservé et prévenant, sont jeunes mariés. La loi sur le mariage gay dans l'Illinois a été adoptée le 21 juin 2014, ils ont immédiatement sauté le pas, fiers d'être les premiers dans leur État à officialiser leur union. Pour eux, c'était une étape nécessaire avant de songer à devenir parents. « Quoi qu'il arrive à l'un ou l'autre d'entre nous, nous voulions que nos enfants soient protégés. Pour moi, c'était une priorité absolue », dit Mario. Orphelin, le jeune homme d'origine latino a été adopté et n'a plus de contact avec cette famille qui l'a élevé. Le sujet reste douloureux : « Je ne veux aucun flou pour mes enfants. » Est-ce parce que ses parents se sont toujours comportés, selon lui, différemment avec ses frères et sœurs non adoptés et avec lui ? Il veut impérativement un enfant biologique. Comme de nombreux gays, les deux hommes commencent par envisager un projet de coparentalité avec des lesbiennes avant de l'écarter : « Trop dangereux », selon Mario. Au sein du couple, c'est clairement lui le moteur du projet. « Mais si Tom ne m'avait pas suivi, ça n'aurait pas marché. » Il a tout prévu : « Je voulais qu'on ait stabilisé nos carrières, qu'on ait un toit dans un bon environnement. Ici, c'est un quartier de classe moyenne, très mélangé. Il y a des jeunes et des vieux, des Blancs et des Noirs, des policiers, des profs et des immigrants. C'est parfait. » Il n'y a pas beaucoup de gays, mais tous les voisins ont assisté à leur mariage. Lorsqu'on les rencontre, à l'été 2014, les deux hommes viennent de trouver leur donneuse. Après avoir épluché une liste de cent profils, ils se souviennent encore de son numéro : donneuse 860... Une jeune étudiante de type caucasien mariée à un Mexicain. « Un peu comme notre couple, ça m'a plu. » Selon son dossier, la jeune femme, qui vit en Californie, explique souffrir d'une anomalie utérine et vendre ses ovocytes pour pouvoir elle-même se payer les services d'une mère porteuse. « La boucle était bouclée. Ça ne pouvait être qu'elle. » Les embryons congelés sont prêts dans une clinique de Los Angeles. Tom veut un garçon, Mario, une fille. La clinique leur propose un diagnostic préimplantatoire qui permet de choisir le sexe des embryons. Sans états d'âme, ils l'acceptent. « Puisque c'est possible. » En attendant de trouver la bonne gestatrice, les embryons sont vitrifiés. Une cousine propose de porter les bébés. Las. Alors que tous les contrats sont signés, elle tombe enceinte de son mari... Tout est à recommencer. « La gestation pour autrui, c'est vraiment le grand huit des émotions, reconnaît Mario. Nous qui avions l'habitude de tout contrôler dans nos vies, là, on découvrait qu'on ne maîtrisait plus rien. » Miracle, Anna, une mère de famille, qui vit à une demi-heure de voiture de chez eux, les contacte spontanément. La jeune femme qui voulait porter l'enfant d'un couple gay avait lu un article sur leur mariage dans un journal local. Échaudés, ils restent d'abord prudents. « On a pris notre temps pour bâtir cette relation et devenir progressivement amis. » Et ça marche. Après l'implantation, ils l'emmènent à Los Angeles pour une petite virée sur la côte Pacifique qui scelle leur projet. Un seul embryon s'est accroché à la paroi utérine et Joséphine naît en novembre. Une jolie petite fille, toute brune, qui ressemble à Mario comme deux gouttes d'eau. Ils l'ont baptisée à l'église. Le prêtre n'a fait aucune difficulté. Tom ne sera pas papa biologique, mais il s'est fait une raison. Sur sa page Facebook, il s'affiche comme le plus fier des pères, postant chaque petit progrès de sa fille. Comme pour n'importe quel couple, cette naissance reste la grande affaire de leur vie. « Les gens pensent que la GPA, c'est pour les riches. Nous, on est juste normaux. On a mis de l'argent de côté, vidé nos comptes épargne, essayé de lever des fonds auprès de nos proches... On a renoncé à des vacances, on n'est pas partis en voyage de noces. Mais rien de tout cela ne compte. On est tellement heureux. Personne ne peut nous enlever ça. »

Tom et Mario vivent dans le Midwest, mais ils sont allés faire leur FIV en Californie, depuis toujours l'État le plus gay friendly de tous. Là où les lois sur la GPA sont systématiquement à l'avantage des parents intentionnels, jamais de la gestatrice. Sur les certificats de naissance, il est possible de nommer deux pères, deux mères, ou encore, comme pour les filles de Steve et John, le parent 1 et le parent 2. Quant à la mère porteuse, elle est tout simplement gommée des registres d'état civil, comme si elle n'avait jamais existé. Aucune obligation pour les futurs parents d'avoir un quelconque lien génétique avec l'enfant à naître. Ici, tout est possible.

Mais, sur cette côte Pacifique qui fait figure de laboratoire du futur en matière de GPA, un autre État fait concurrence à la Californie pour le tourisme procréatif : l'Oregon. « C'est l'un des cinq États les plus favorables à la GPA, avec la Californie, le Colorado, le Connecticut et le Massachusetts », selon le classement de John Weltman, le patron de Circle Surrogacy. Ce paradis pour touristes, avec ses étendues vierges, son mode de vie ultra-cool, écolo-bio et tolérant, est aussi devenu depuis peu l'eldorado des couples gays en mal d'enfants. Ici, on vient du monde entier pour chercher une mère porteuse : d'Israël, d'Argentine, de Chine, d'Australie, de Suède, d'Allemagne… De France aussi. Cliniques gay-friendly, agences spécialisées, grosses structures revendiquant une centaine de naissances par an ou PME familiale, les futurs parents ont le choix. Sur le plan législatif, tout est fait pour les protéger. Et les tarifs y sont plus attractifs qu'en Californie : 20 000 dollars environ pour une mère porteuse, contre 30 000 à 35 000 à Los Angeles.

C'est ici, à côté de Portland, que sont nées Olympe et Colombe, les jumelles de Christophe et Bruno. Le parcours transatlantique de ces deux Parisiens a été très compliqué. Les deux hommes nous proposent de passer les voir en novembre 2014, « mais pas avant 20 heures » : « Il faut d'abord qu'on couche les filles. » Elles ont six mois. Dans cet appartement chaleureux, niché en haut d'un immeuble moderne du 20e arrondissement populaire, le salon est envahi de jouets d'éveil et de matériel de puériculture. Épuisés mais ravis, les deux papas sont littéralement extatiques. Ils savent qu'au regard de la loi française, ce qu'ils ont fait est illégal. Mais pour eux, cette illégalité n'est pas fondée. C'est pour ça qu'ils acceptent de témoigner. « On veut que nos filles soient fières de leur histoire, qu'on puisse tout leur dire sur la manière dont elles ont été conçues. » Ils ont respecté les lois du pays où leurs filles sont nées. C'est l'essentiel. « Nous n'avons rien fait de mal. » La quarantaine sympathique, les deux hommes se complètent bien. L'un parle beaucoup ; l'autre approuve, complète, nuance. On sent entre eux une profonde complicité et beaucoup d'amour. Le premier est cadre de la fonction publique, l'autre, ingénieur. Une vie de cadres moyens tranquille et sans histoires, ni superfriquée, ni vraiment bobo.

Voilà quatorze ans que les deux hommes vivent ensemble. Le désir de fonder une famille est venu progressivement. Eux aussi ont envisagé toutes les options. Adoption ? Impossible en France, où l'homoparentalité n'est pas reconnue. Se faire passer pour des célibataires ? « Pas question de construire une famille sur un mensonge. » Un projet de coparentalité avec un couple de lesbiennes ? Trop compliqué : « Nous n'avions pas envie de partager ce projet avec des tiers. » Christophe est le premier à évoquer la possibilité d'une GPA, une option que Bruno commence par écarter : « Je trouvais ça bizarre, limite malsain. » La rencontre d'un couple d'amis revenus des États-Unis en 2009 avec leur petite fille sera le déclic. « On s'est dit, pourquoi pas nous ? On était mûrs, on était prêts. »

La complexité de l'aventure commence par les submerger : où aller ? Dans quel pays, avec quelle agence, dans quelle clinique ? Fallait-il implanter un ou deux embryons ? Tenter d'avoir un enfant ou des jumeaux ? Transférer des embryons frais ou des embryons congelés ? Que faire des embryons qui ne seraient pas utilisés ? Les donneraient-ils à la science, à une autre couple en mal d'enfants ? « Il y avait tant de questions... Par où commencer ? » Un an durant, ils acceptent d'être filmés pour un documentaire de France TV, qui les suit dans leur parcours, entre Paris et Portland. On y voit les parents de Christophe, qui habitent un petit village, complètement dépassés par ce projet fou. Les amis aussi sont parfois perplexes. Et les questions financières, loin d'être secondaires. Les deux hommes vont investir toutes leurs économies, épargner deux ans durant, mettre tous leurs congés de côté pour ce projet qui va leur coûter un peu plus de 100 000 euros, sans compter les trois voyages aux États-Unis. Ils contactent d'abord une première agence, censée offrir des prestations low cost : la première gestatrice potentielle avec laquelle ils sont mis en contact, célibataire avec deux enfants, ne les emballe pas. Lors du premier rendez-vous par Skype, elle leur semble peu stable, « voire avec une double personnalité ». La communication passe mal. De contacts stériles en discussions improbables, le couple, au bout d'un an, a versé 5 000 dollars sans avoir avancé d'un iota dans son projet. Découragés, ils sont à deux doigts de tout laisser tomber : « On s'interrogeait : est-ce que tout ça était vraiment pour nous ? » Après discussion avec des membres de l'ADFH (Association des familles homoparentales), ils se tournent finalement vers une autre agence qui a fait ses preuves auprès de couples français et qui leur demande de rédiger une lettre à l'attention de la mère porteuse, pour se présenter. Coup de fil de l'agence : une certaine Veronica de Portland souhaite entrer en contact avec eux. « En fait, c'est elle qui nous a choisis », dit Christophe. La jeune femme de 27 ans, déjà mère de deux enfants, dit adorer être enceinte et vouloir permettre à un couple gay de construire une famille. C'est son choix : elle veut être sûre de ne pas porter le bébé d'une femme qui aurait choisi la GPA par convenance personnelle, pour ne pas grossir ou parce qu'elle ne veut pas être enceinte. Elle leur envoie des photos de sa famille. Un premier contact, par Skype toujours, est organisé. Les deux garçons choisissent leurs vêtements avec soin : « Ça tient à la fois de l'entretien d'embauche et du rendez-vous amoureux. » Bruno ne parle pas très bien anglais, Christophe encore moins, mais la jeune femme, une jolie blonde enjouée, drôle et spontanée, les met tout de suite à l'aise. « Je vous ferai participer autant que vous voudrez à la grossesse, dit-elle. Vous verrez, ça va être une expérience supercool ! » Les deux hommes sont conquis. Un contrat d'une quarantaine de pages est signé sous le contrôle de plusieurs avocats. En plus du remboursement de tous ses faux frais, vêtements de grossesse et soins médicaux, Veronica touchera 20 000 dollars pour mener à bien cette grossesse. Peu ou prou le salaire de son mari, mécanicien. Elle est heureuse de toucher cet argent et ne s'en cache pas, son mari non plus. Mais elle n'est pas dans le besoin. Cette somme ne changera pas sa vie. Ce qu'elle veut, c'est changer celle des deux hommes. « Sa famille est plutôt aisée, insiste Bruno. On a tout de suite senti que l'argent n'était pas son moteur. »

Reste encore à trouver la donneuse d'ovocytes. Les deux hommes souhaitent une jeune femme qui accepte de ne pas rester anonyme au cas où l'enfant voudrait la rencontrer plus tard : « On ne veut pas de blanc dans l'histoire. » Commence alors, pour eux aussi, l'épluchage des listings. « On veut la plus belle, la plus intelligente, celle qui est en meilleure santé. Mais la femme parfaite n'existe pas », soupire Bruno, qui avoue n'avoir pas trop aimé cet exercice. Ils commencent par flasher sur une jolie jeune femme aux faux airs de Romy Schneider. Mais, en épluchant son dossier, ils découvrent qu'elle a souffert, plusieurs années auparavant, d'épisodes de dépression. C'est non. Finalement, une brune méditerranéenne – Bruno ne veut pas de blonde – les met d'accord. Ils échangeront plusieurs mails. Pour 6 000 euros, elle donnera ses ovocytes à Christophe et Bruno. Ils font un voyage express dans le Midwest, où la jeune femme a subi un cycle de stimulation hormonale. Une dizaine d'ovules prélevés seront fécondés pour moitié par l'un et l'autre des deux hommes, puis congelés. Deux seront implantés avec succès, dans le ventre de Veronica. À trois mois de grossesse, ils se rendent pour la première fois dans l'Oregon. Le contact entre les deux familles est excellent. Malgré la barrière de la langue et des modes de vie aux antipodes, « c'était même fusionnel, témoigne Christophe. Comme si on se connaissait depuis toujours ». Aux petits soins, les parents de Veronica, un officier de l'armée et une éducatrice, les accueillent dans leur ranch en pleine nature comme s'ils faisaient partie de la famille. « Ils nous ont hébergés, nous ont présentés à tous leurs amis. C'était magique. » Ils repartent confiants : « Cette fois, c'était bon. »

En fait, les difficultés ne font que commencer. L'échographie des treize semaines est inquiétante. Plusieurs anomalies sont détectées. Il y a une suspicion de trisomie 21 sur l'un des bébés, mais aussi de pied-bot et de malformation cardiaque. Le contrat initial stipulait qu'un avortement était possible en cas de handicap, une clause essentielle que la mère porteuse n'avait pas rejetée. « Mais on sentait que pour la famille de Veronica, très croyante, ce serait très difficile à accepter », se souvient Christophe. Finalement les deux hommes décident de prendre le risque de poursuivre la grossesse. « On a tremblé pendant cinq mois. » Mais ce n'est pas tout. L'implantation des embryons n'est pas parfaite. La jeune femme doit subir chaque jour des piqûres d'hormones très douloureuses. Rien à voir avec ses précédentes grossesses qui s'étaient déroulées comme dans un rêve. Elle est épuisée. Difficile de s'occuper de deux enfants en bas âge dans ces conditions. Quelques semaines après être rentrés en France, les deux hommes reçoivent un SMS : « Veronica est aux urgences. Elle a perdu beaucoup de sang. » À Paris, l'angoisse est à son comble. Les médecins ne sont pas rassurants. L'un des bébés va mal. Menace de fausse couche. Un cataclysme émotionnel. Et accessoirement aussi, même si les deux hommes n'en parlent pas, un désastre financier. Cette fois, la jeune femme doit rester alitée, au repos complet. Pour elle, cela veut dire passer Noël au lit sans pouvoir s'occuper de ses enfants… Pour les futurs pères, impuissants, ce sont des nuits et des nuits sans sommeil. Il faut aussi payer une nounou pour les enfants de Veronica. C'est le début de semaines de stress entrecoupées d'appels, de centaines de mails, de SMS. Colombe et Olympe sont nées le 17 avril, à huit mois de grossesse, en parfaite santé malgré leur petit poids. Intense bonheur, immense soulagement pour les pères un peu déçus tout de même d'avoir manqué l'accouchement. Ils sautent dans un avion. Après quinze jours de soins intensifs en néonatalogie pour les bébés, et quelques semaines à pouponner, guidés par la mère de Veronica, ils rentrent en France sans être inquiétés à la douane.

Comme tous les enfants nés par GPA aux États-Unis, leurs filles ont un passeport américain. Sur l'acte de naissance, Veronica a renoncé à ses droits sur les enfants. Christophe, pour l'instant, est le seul père. S'il parvient à faire transcrire leur certificat de naissance à l'état civil français, Bruno pourra passer ensuite par une procédure d'adoption. Mais, un an après la naissance, le dossier est toujours suspendu. Aux yeux de l'État français, qui refuse de reconnaître les documents américains, elles ne sont les filles de personne. Ils n'ont pas de livret de famille, pas de fiches d'état civil. Les deux hommes s'inquiètent un peu de ce qui pourrait se passer en cas d'hospitalisation par exemple. Les laisserait-on prendre les décisions qui s'imposent ? Mais, pour l'instant, tout s'est bien passé. Ils n'ont eu aucun problème avec la Sécurité sociale ni avec la crèche. Bruno a même pu obtenir des horaires aménagés de son employeur pour s'occuper de ses enfants. Dans leur quartier, tout le monde les connaît : partout, les deux papas, qui s'inquiétaient de la manière dont ils allaient être accueillis, attirent la sympathie. « La société évolue, les mentalités changent. Les gens, au fond, sont bien plus tolérants qu'on ne le pense. » Quant à Veronica, elle ne renouvellera certainement pas cette aventure, mais ne regrette rien. Elle dit en riant qu'elle a « gagné sa place au paradis ».

5

Dans la tête des mères porteuses

Quelquefois, ses deux enfants encore petits veulent caresser son ventre rond et parler au bébé. Lettie n'aime pas ça : « Franchement, ça me met mal à l'aise. Je leur dis d'arrêter, que ce bébé n'est pas leur frère, qu'ils ne le verront jamais. Je ne sais pas s'ils comprennent. » À 34 ans, c'est une grande et jolie blonde élancée aux faux airs de Cameron Diaz, mariée à un technicien de maintenance. Enceinte de sept mois, elle va bientôt permettre à un couple argentin qu'elle n'a jamais rencontré de devenir parents. La future mère ne peut pas porter d'enfant pour des raisons de santé, mais l'embryon congelé, conçu à partir d'un de ses ovules fécondés et du sperme de son mari, est génétiquement le sien. Quand l'implantation a eu lieu, ils étaient déjà rentrés chez eux. Que les futurs parents vivent à des milliers de kilomètres et qu'elle n'entretienne avec eux qu'un sporadique échange d'emails ne la dérange pas, au contraire. « Je ne tiens pas spécialement à m'en faire des amis. J'ai ma vie, ils ont la leur, et je ne voulais en aucun cas les avoir sur le dos, à essayer de contrôler ma vie ou vérifier si je fais trop ou pas assez d'exercice. » La gestatrice et les futurs parents ont communiqué par Skype, trois ou quatre fois. Ils ne se sont jamais vus. « De toute façon, il y a la barrière de la langue », ajoute Lettie.

Tandis que la jeune femme raconte son histoire, elle caresse machinalement son ventre, sans même y penser, dans ce geste caractéristique des femmes enceintes. Elle évoque une grossesse difficile, de pénibles nausées matinales qu'elle n'avait jamais eues quand elle portait ses propres enfants, les piqûres d'hormones quotidiennes. La fatigue aussi, et un mari qui commence à en avoir assez... Pourtant, elle ne regrette rien, au contraire. Avec cette exubérance typiquement américaine, elle dit qu'elle a super-hâte de voir la tête des parents quand elle leur tendra ce bébé. « Ça doit être quelque chose de fabuleux, vous ne croyez pas ? » *So exciting !*

Vraiment ? En écoutant cette femme enceinte raconter son impatience à donner l'enfant qu'elle porte à de parfaits inconnus, on ne peut s'empêcher, il faut bien l'avouer, d'être un peu perplexe. Qu'est-ce qui peut bien inciter quelqu'un à accepter tous les désagréments d'une grossesse, à mettre en jeu sa santé et même sa vie, pour sentir un enfant qu'on ne reverra jamais après sa naissance grandir et bouger en soi pendant neuf mois ? La question la fait rire : « J'ai toujours aimé l'aventure, toujours voulu faire quelque chose d'extraordinaire dans ma vie. Mais je ne suis qu'une banale mère de famille de classe moyenne. Je n'ai pas voyagé, je n'ai rien créé. Là, je vais pouvoir réaliser le rêve de quelqu'un. C'est énorme. J'ai l'impression d'être un superhéros, insiste-t-elle. Il y a tant de familles qui ne veulent rien de plus au monde qu'un enfant, et moi, la petite Lettie, simple ménagère du fin fond du Midwest, je détiens la clé de leur bonheur. C'est un sentiment extraordinaire. »

« Ce sont des femmes généreuses et altruistes, des femmes qui ont sincèrement de la compassion pour d'autres qui souffrent de ne pas pouvoir porter elles-mêmes des enfants. Elles savent qu'elles peuvent aider, alors elles le font », ajoute Zara Griswold, qui a coordonné toute l'opération.

Et l'argent ? Sur les 130 000 dollars que coûtera la grossesse aux futurs parents, la mère porteuse en recevra de 20 000 à 25 000, selon l'État où elle vit, de 30 000 à 35 000 s'il s'agit d'une grossesse multiple ou si elle est expérimentée… Une « compensation financière », comme disent pudiquement les agences, qui se refusent à parler de salaire. Lettie, qui a touché des mensualités de 1 800 dollars, le reconnaît : bien sûr, cette somme a compté dans sa décision. Elle ne l'aurait pas fait gratuitement. « Je suis contente de pouvoir aider ma famille, tout en restant à la maison pour élever mes enfants. Mais ça n'aurait pas suffi à me motiver. » D'ailleurs elle ne recommencera pas : « Tout cela abîme quand même beaucoup le corps. » Et, manifestement, Lettie, qui envisage même d'utiliser une partie de la somme reçue pour se faire refaire les seins, prend grand soin du sien…

On les prend à tort pour des chasseuses de primes. Mais il suffit de parcourir les nombreux forums créés par les mères porteuses sur les réseaux sociaux et de participer à leurs échanges pour s'en convaincre : l'argent, elles en parlent peu. Et souvent avec gêne. Ce qui prédomine chez toutes ces femmes, c'est la fierté. Elles s'encouragent, se félicitent, exhibent des photos de leurs tests de grossesse positifs et de leurs ventres arrondis comme des trophées. Contrairement aux Indiennes, aux Ukrainiennes, ou aux Mexicaines, qui vivent cette gestation comme une honte, une tache sur leur réputation, pour les Américaines, c'est une performance, un don de soi. Comme Lettie, elles ont le sentiment de réaliser un acte de générosité inouïe, de faire quelque chose qui les dépasse, « plus grand que la vie », comme elles disent. « D'abord, j'adore être enceinte. Penser à toutes ces familles qui n'arrivaient pas à avoir d'enfants me brisait le cœur, dit ainsi Kristen, 43 ans, qui a donné naissance à six enfants, en plus des deux siens. J'adore voir les parents avec leurs enfants et me dire que tout ça n'aurait pas été possible sans moi. »

Mais tout de même, ne leur en coûte-t-il pas un peu de laisser partir ces enfants après leur naissance ? « Quand on se lance là-dedans, on connaît la règle du jeu, répond Lettie. Imagine que quelqu'un t'offre un week-end dans un manoir de rêve ou te propose un voyage en Ferrari. Tu sais bien que ces cadeaux luxueux ne t'appartiennent pas pour autant. » Elle s'interdit depuis le premier jour toute projection sur cet enfant à naître : « Dans mon esprit, les choses sont claires : je suis là pour aider à créer une famille, pas pour agrandir la mienne ; je n'éprouve aucun attachement envers ce futur bébé, et je ne pense pas que je ressentirais spécialement de manque si je ne recevais ni photos ni nouvelles. Il faut se rappeler en permanence que l'on ne fait pas cela pour soi. » Car cet enfant, insiste-t-elle, ne lui appartiendra pas. Elle n'a pas préparé sa chambre, pas acheté de vêtements pour lui, pas cherché de prénom. « Jamais je n'aurais accepté de porter un embryon qui soit biologiquement lié à moi, à mes enfants. » Pour elle, ce sont les gènes qui comptent, bien plus que la gestation. « Je ne suis que la baby-sitter, et je serai bien contente de le laisser à ses parents quand ce sera fini. » Sur le forum « Surrogacy Together », une autre mère porteuse choisit une autre image : « Si votre voisine prépare un gâteau et que son four tombe en panne, vous lui proposerez bien sûr de lui prêter le vôtre. Ce gâteau ne sera pas à vous pour autant. C'est sa recette, ses ingrédients. »

Peut-on les croire ? Anonymement, en fin d'entretien, quelques-unes finissent par le reconnaître : même si elles s'y sont préparées, la séparation d'avec le nourrisson reste un moment douloureux : « On a beau savoir que ce n'est pas notre enfant, il y a l'émotion, les hormones, la montée de lait, les parents qui partent, et toi tu restes là, seule, avec ce sentiment de vide. Je me disais juste "Et maintenant ?" » soupire une jeune femme, qui admet avoir souffert pendant quelques jours de baby-blues en quittant la maternité. Les agences leur interdisent d'ailleurs souvent de pouponner le nourrisson, et toujours de l'allaiter. « Émotionnellement et physiquement, c'est trop dur ensuite de le donner », affirme Nancy Telman Block.

Elles sont employées de bureau, vendeuses, serveuses, ou simplement mères au foyer. Elles veulent prendre un peu d'autonomie financière, rembourser leurs dettes, ou mettre de l'argent de côté pour les études de leurs enfants. La plupart appartiennent à la petite classe moyenne d'une Amérique rurale, modeste, le plus souvent républicaine et croyante. Elles sont souvent arrivées dans le monde de la GPA par le bouche à oreille, ou simplement par hasard, après être tombées sur une petite annonce publiée sur Craig's List, « Le Bon Coin » américain. « Cincinnati et sa région : Aidez un couple à réaliser son rêve, et gagnez jusqu'à 35 000 dollars. Vous toucherez 20 000 à 25 000 dollars pour une première gestation, beaucoup plus si vous êtes une mère porteuse expérimentée. Gain net : toutes vos dépenses annexes seront remboursées. » Ou encore : « Urgent : Recherchons mères porteuses, entre 21 et 43 ans dans le Minnesota. Gains rapides, aucune attente. Des embryons sont prêts à être implantés. Procédure rapide, simple et indolore. Vous devez avoir entre 21 et 43 ans, ne consommer ni drogue ni alcool – des tests seront pratiqués. » Sur certains sites spécialisés comme Surrogatemother.com, des mères porteuses offrent également leurs services : « Je suis une femme de 35 ans heureuse en ménage. J'ai une vie très saine, et préfère le bio. Je veux vous aider à devenir parent. Mes trois grossesses se sont déroulées comme un rêve. »

Contrairement à une idée reçue, ces femmes, dans leur grande majorité, ne sont ni désespérées ni socialement paumées. « La détresse serait la pire des motivations pour une mère porteuse, assure Nancy Telman Block. C'est le meilleur moyen de faire n'importe quoi, de ne pas entendre les signaux d'alerte. » Les agences qui se conforment aux recommandations émises par la Société américaine de médecine reproductive exigent d'ailleurs qu'elles soient « financièrement stables ». Aucune n'est censée dépendre d'aides sociales. « La GPA doit être un complément de revenu, pas un travail faisant vivre le ménage, insiste Nancy Telman Block. Dans la plupart des États, l'argent gagné, d'ailleurs, n'est pas fiscalisé. »

Au début, Tracy, une mère de famille du Minnesota qui a été quatre fois gestatrice pour autrui, ne savait même pas qu'elle pouvait gagner une telle somme « juste en étant enceinte ». La première agence qu'elle a contactée lui a demandé combien elle espérait toucher. « J'ai répondu 1 000 à 2 000 dollars, ça me semblait déjà pas mal », raconte Tracy, interviewée au téléphone. Quand la directrice de l'agence a évoqué la somme de 18 000 dollars, elle a failli en tomber de sa chaise. « Ça me semblait tout simplement impossible. J'ai d'abord cru qu'on se moquait de moi, que ce devait être une arnaque. Ça me semblait indécent d'accepter autant d'argent. Ils m'ont demandé de réfléchir. Quand ils m'ont rappelée, j'ai dit oui. »

Aujourd'hui, ça ne lui semble plus si cher payé. « C'est loin d'être aussi facile que je le pensais alors. C'est physiquement et émotionnellement éprouvant, pour soi et pour la famille. On est peu disponible, quelquefois alitée. Il faut au moins pouvoir, ensuite, faire plaisir aux siens. » En outre, la transaction financière permet selon elle d'équilibrer la relation avec les futurs parents. « C'est un échange et pas juste un don. Il y a une dimension business qui t'empêche de t'attacher au bébé. »

Cette femme de 45 ans qui aura porté au total neuf enfants considère la GPA comme « la grande mission de sa vie ». Elle est même devenue coordinatrice des programmes dans une agence de mères porteuses. De ses expériences, elle garde pourtant des souvenirs mitigés. Ses premiers clients, un couple gay avec lesquels elle pensait être liée à jamais, disparaissent peu après la naissance. Elle ne leur en veut pas : « Je ne veux pas de relations forcées. Ils ont leur famille, j'ai la mienne. Ils ont été corrects et n'ont aucune obligation envers moi. » La deuxième fois, c'est pire : la femme, qui avait plus de 40 ans, a absolument tenu à utiliser ses propres ovocytes, malgré les conseils du médecin. Par deux fois, la FIV a échoué. « Elle était furieuse. J'ai reçu un mail insultant, puis plus rien. » Elle a 40 ans quand une agence lui propose un nouveau « match », avec un couple hétéro. Elle se laisse convaincre, mais, très vite, la relation se tend. « Ils ne voulaient qu'un enfant, mais, pour augmenter leurs chances, ils voulaient implanter deux, voire trois embryons, quitte à pratiquer une réduction embryonnaire ; je ne comprends pas cette manière de penser. » Très croyante, Tracy est profondément opposée à toute forme d'interruption de grossesse. Ils n'auront finalement qu'un enfant, mais la relation sera exécrable jusqu'au bout. Son entourage non plus ne l'a pas toujours soutenue. La première fois, son Église, dans laquelle elle est très impliquée, a commencé par la rejeter : non parce qu'elle était mère porteuse – le pasteur trouvait très bien de donner la vie –, mais parce qu'elle portait l'enfant d'un couple d'hommes. « Heureusement, [le pasteur] a été remplacé par un autre beaucoup plus ouvert qui m'a dit : "Faites ce qui vous semble bien. Je serai toujours là pour soutenir vos décisions." » Dans sa petite ville de la grande banlieue de Minneapolis, il a fallu aussi affronter les voisins. Elle a reçu des lettres anonymes l'accusant de vendre son bébé. D'autres lui ont reproché de traumatiser ses propres enfants. « Ils avaient entre 2 ans et demi et 11 ans. On leur a bien expliqué que cet enfant n'était pas le mien, qu'il n'aurait aucun lien génétique avec eux. Que je faisais ça pour rendre une famille heureuse. Ils ont parfaitement compris. Je pense, au contraire, que ça a contribué à les rendre ouverts et tolérants. Au fond, il ont toujours été fiers de moi. »

Presque toutes le disent. Au-delà de l'argent, des difficultés éventuelles, cette grossesse pour autrui les valorise. Dans ce pays à la fois farouchement hostile à l'avortement, où l'interruption de grossesse est encore interdite dans certains États même en cas de détection de trisomie 21, les mères porteuses, elles, sont en revanche généralement plutôt bien perçues. En mai 2012, alors que son père est le candidat républicain à la Maison-Blanche, Tagg Romney annonce la naissance de ses jumeaux sur Twitter : « Immense merci à notre mère porteuse qui a rendu ce miracle possible. » C'est la deuxième fois que ce père de famille nombreuse, dont la femme ne peut plus porter d'enfants, a recours à la GPA. La seule petite polémique qui suivra son annonce concernera le contrat passé avec la gestatrice : il lui permettait d'interrompre la grossesse en cas de danger pour sa santé. Mormon pratiquant, Mitt Romney s'était en effet à plusieurs reprises déclaré opposé à l'IVG au cours de la campagne électorale. Mais le débat sur la GPA, lui, ne s'y invitera jamais.

Certaines femmes y consacrent leur vie. Contrairement à l'Inde où les recommandations des autorités médicales sont strictes, et où la plupart des agences spécialisées refusent de provoquer plus de deux grossesses pour autrui par mère porteuse, pas de limites aux États-Unis. Meredith Olafson de Fargo, dans le Dakota du Nord, a ainsi battu un record. Elle a eu quatre enfants avec son mari. Mais elle en a porté quatorze qui n'étaient pas les siens. Elle a été six fois enceinte pour des tiers, quatre fois de jumeaux, deux fois de triplés. Conductrice de bus, elle déclare avoir à chaque fois travaillé jusqu'au dernier jour de sa grossesse. « Au départ, mon mari pensait que j'étais folle, mais quand il a vu ma détermination, il a fini par me soutenir. »

Interviewée par les télévisions américaines, elle a déclaré en riant, en 2012, « vouloir mettre son utérus à la retraite ». Tous les reportages qui ont été consacrés à Meredith ont été positifs.

Pour beaucoup de ces femmes, le plus dur, c'est encore de gérer les relations avec les futurs parents. Sur les forums, c'est même leur principal sujet de préoccupation. Pas facile de ménager les sensibilités et les susceptibilités de chacun, de ne pas se marcher sur les pieds, d'informer les futurs parents de l'évolution de la grossesse tout en gardant la juste distance. Certains deviennent effectivement amis à vie. Mais c'est loin d'être la majorité des cas. Des femmes qui ont choisi des parents de leur région pour pouvoir partager cette aventure n'auront finalement que des relations distantes avec eux. D'autres finissent par s'exaspérer mutuellement. Une jalousie insidieuse, souvent, vient pourrir ce lien si particulier : « Je crois que, en me voyant enceinte, la mère intentionnelle m'a prise en grippe, dit Alison, qui habitait pourtant à quelques blocs d'immeubles des futurs parents. Au fil des semaines, on a eu de moins en moins de contacts. Après l'accouchement, ils sont partis très vite, m'ont virée de leurs relations Facebook, puis ont déménagé. » Trop contents d'être enfin appariés avec une mère porteuse qui les accepte, de nombreux parents intentionnels mentent ou se mentent à eux-mêmes, promettant une amitié éternelle qu'ils ne seront pas en mesure de tenir. « Quelquefois, les parents ont du mal à maintenir un lien avec celle qui leur rappelle sans cesse, malgré elle, comment leur enfant a été conçu, reconnaît le directeur d'une agence. Il est possible que l'épreuve de la stérilité ait été si éprouvante, pour certaines femmes, que cette grossesse à distance soit au fond insupportable. C'est un processus très complexe, avec beaucoup d'émotions, très difficile à vivre. »

Toute grossesse comporte des risques, et celles-ci n'y échappent pas. Très investies dans ce qu'elles considèrent être leur devoir, ces femmes vivent les éventuelles fausses couches comme des échecs personnels. « C'est affreux. On se sent coupable, même si on n'y est pour rien, on se sent mal, physiquement et psychologiquement », témoigne Kayle qui a perdu des jumeaux à trois mois de grossesse. Même quand tous les cas de figure ont été anticipés dans le fameux contrat, pas facile pour la mère porteuse de se retrouver suspendue à une décision qui lui échappe : Tamara s'est ainsi retrouvée enceinte de triplés. Comme souvent, deux embryons ont été implantés, et l'un s'est divisé… Enceinte de dix semaines, elle a eu peur. « Je ne savais pas ce que les parents allaient décider, essayer de mener cette grossesse à terme ou faire une réduction embryonnaire. Dans les deux cas, c'était l'angoisse », confie la jeune femme. Après une grossesse harmonieuse, l'accouchement d'April, 24 ans, qui portait l'enfant d'un couple d'hommes canadiens a carrément tourné au cauchemar. Rencontrée à New York à l'été 2014, cette très jeune femme au visage de madone, lesbienne, élève alors seule une petite fille de 4 ans. Les futurs parents ont exigé des médecins qu'ils déclenchent l'accouchement à trente-sept semaines, parce qu'ils voulaient pouvoir y assister. « Le bébé se présentait mal, j'ai perdu beaucoup de sang. Les médecins me méprisaient ouvertement, me faisant bien comprendre que je n'étais rien. Je voulais un accouchement naturel mais ils parlaient comme si je n'existais pas… J'ai réussi à voir le bébé cinq minutes avant que les parents ne partent. Ils l'avaient déjà installé dans la voiture. Personne n'est venu me voir, personne ne m'a félicitée, je n'ai reçu ni fleurs, ni carte. Le lendemain, les parents m'ont envoyé un texto : "Thanks." J'ai eu l'impression d'avoir été jetée à la poubelle. »

Même quand la grossesse est partagée sereinement, la relation survit rarement à la naissance. « On est passés de conversations quotidiennes pendant la grossesse à zéro contact quand les bébés sont nés. Ils n'ont répondu à aucun de mes mails », regrette Sara. Quatre fois mère porteuse, Lynn a vécu une expérience similaire : « Lors de ma première grossesse, les parents intentionnels et moi, on était ultra-proches. Il a fallu deux ans de traitements, d'échecs, avant qu'ils puissent tenir le bébé dans leurs bras. Durant tout ce temps, on sortait ensemble, on dînait les uns chez les autres. On est même partis en vacances ensemble. Après avoir quitté l'hôpital, je n'ai plus jamais entendu parler d'eux. » Aucune de ses « aventures », comme elle appelle ses GPA, n'a donné lieu à une réelle amitié. « Au début, tous me juraient qu'ils me donneraient des nouvelles, que nous étions liés pour la vie. Et, finalement, je ne suis vraiment restée en contact qu'avec une seule famille qui m'envoie des photos, des emails, des vidéos du bébé de temps en temps. » Elle aurait souhaité que ça se passe différemment, « mais, après tout, si c'est ce que veulent les parents, je respecte leur décision ».

Certaines acceptent cette rupture avec philosophie, d'autres en gardent un goût amer. Sur ces forums où elles se confient, beaucoup font part de leur déception : Carolyn a été bouleversée en découvrant qu'un couple d'Américains à qui elle avait donné un petit garçon après une grossesse compliquée avait passé des vacances à quelques kilomètres de chez elle : « J'ai dû rester trois mois allongée, à l'hôpital, pour donner naissance à leur fils. J'ai sacrifié onze semaines de la vie de ma famille pour eux, les anniversaires de mes propres enfants, leurs fêtes de fin d'année scolaire, le match décisif de mon fils, tandis qu'ils partaient en vacances en Italie, sans même penser à prendre de mes nouvelles. Je ne peux pas croire qu'ils n'ont même pas eu la décence de venir me dire bonjour », écrit la jeune femme. Trois mois plus tard, elle en pleure encore. « Avec ou sans argent, la GPA est un don immense. Aucune somme ne pourra le compenser. Quelques parents le comprennent, d'autres y voient une simple relation commerciale. On ne peut pas leur demander d'y mettre des sentiments s'ils ne le veulent pas, mais, oui, ça fait mal d'être méprisée ainsi. J'ai eu l'impression d'avoir été utilisée. » Et pourtant… Malgré les expériences difficiles, et les désillusions, beaucoup recommencent, avec l'espoir, toujours, que la fois suivante sera la bonne. Après avoir eu ses trois enfants, Julie, fière d'afficher ses six grossesses pour autrui, va peut-être battre le record de Meredith. La première fois, elle avait 39 ans, la sixième, 48… et elle n'a pas dit son dernier mot. « Je pensais m'arrêter là, mais une femme juive, qui tient absolument à ce que la gestatrice de son bébé le soit aussi, me supplie de le faire. Si les médecins acceptent, je vais peut-être céder. Un dernier "voyage en gestation" », comme elle dit.

6

« Ne nous jugez pas »

Elles sont une petite centaine, en tuniques chatoyantes, assises les unes à côté des autres sur des chaises en plastique. Une écharpe retombe sur leurs ventres ronds : toutes sont enceintes, à divers stades de leur grossesse. Le regard sombre et fermé sous l'œil des caméras, elles tiennent devant elles une feuille de papier sur lesquelles est écrit, en gujarati : « N'interdisez pas la GPA » ; « Qu'allons-nous devenir ? » ; « La GPA nous permet de faire vivre nos familles » ; « S'il vous plaît, pensez à nous »…

Cette manifestation de mères porteuses, la première de l'histoire, a lieu en novembre 2015 à Anand, à 75 km au nord d'Ahmedabad, la capitale du Gujarat, en Inde. Une ville de 200 000 âmes avec ses rickshaws pétaradants, son capharnaüm de marchands ambulants, de vaches faméliques et de chiens errants. Jusqu'à une époque récente, c'était la capitale indienne du lait. C'est devenu à la fin des années 2000 le ventre du monde. On y débarque alors de Belgique, d'Australie, des États-Unis et du Japon, d'Israël et du Botswana, de Singapour ou d'Islande pour avoir un bébé, attiré par des tarifs ultra-attractifs de 40 000 à 60 000 dollars tout compris, deux fois et demie moins élevés qu'à Chicago ou à Boston. Ici, pas de sentiments. La relation est strictement commerciale. Les liens entre commanditaires et futurs parents sont réduits à leur plus simple expression. Certains parents intentionnels sont contents de ne pas avoir à entretenir de relations avec la gestatrice, de ne pas avoir à lui envoyer de photos, ni maintenir un lien dont ils ne veulent pas. Ils recevront régulièrement des échographies. Mais ne sauront rien, ou si peu, des femmes qui portent leurs enfants. En venant chercher leurs nouveau-nés, les plus généreux leur offriront un petit pourboire, des cadeaux. Rien ne les y oblige. Souvent, ils repartiront chez eux sans même les avoir rencontrées.

Légalisée en 2002 sans trop de garde-fous, la GPA génère très vite en Inde un énorme engouement : « La GPA, c'est la nouvelle adoption », avait publiquement déclaré en 2009 le Dr Anoop Gupta, l'un des pionniers du secteur à New Delhi. Il estimait alors ce business à 445 millions de dollars par an. Quatre ans plus tard, ce chiffre d'affaires espéré avait quadruplé, atteignant 2,3 milliards de dollars, selon la Confédération de l'industrie indienne. On comptait 385 cliniques spécialisées dans les traitements anti-stérilité ayant permis la naissance de quelque 5 000 enfants… 2 000 d'entre eux seraient nés de mères porteuses. Cette nouvelle « usine à bébés » mondiale, comme vont la nommer les médias, donne lieu à des reportages qui montrent de pauvres Indiennes illettrées, ne comprenant pas vraiment ce à quoi elles s'engagent, obligées de louer leur utérus contre une poignée de roupies pour survivre.

Humilié, le gouvernement indien qui avait déjà mis depuis plusieurs mois une série de coups de frein à ces activités, finit, en octobre 2015, par siffler la fin du jeu : seuls les couples hétérosexuels mariés depuis au moins deux ans, l'un et l'autre de nationalité indienne, pourront désormais en bénéficier. Interdiction pure et simple de recourir à une mère porteuse pour tous les étrangers, auxquels les visas médicaux ne seront plus accordés. Pour tous ceux qui ont des embryons congelés stockés dans le pays, en attente d'être implantés, ou, pire, une grossesse en cours, c'est la panique… Toutes les cliniques se mettent fébrilement en quête de solutions de repli…

Un médecin est particulièrement visé par ce couperet : c'est le Dr Nayana Patel. À 56 ans, la patronne de la clinique de fertilité Akanksha, obstétricienne et femme d'affaires avisée, incarne mieux que quiconque ce baby business. C'est elle qui a fait la réputation d'Anand. Créé en 1992, son établissement est d'abord une simple clinique de FIV. Mais dès que la loi le permet, elle se lance dans la GPA.

Tandis que ses concurrents en sont encore au stade du bricolage, employant une mère porteuse de-ci de-là, le Dr Patel met en place un processus quasi industriel, faisant de sa clinique une véritable fabrique de bébés low cost : de la conception *in vitro* à la livraison du bébé avec tous les papiers nécessaires, elle maîtrise toute la chaîne de conception. C'est elle qui va, la première en Inde, demander une clientèle internationale. Elle aussi qui va avoir l'idée de concevoir la « maison des surrogates », ce gynécée où des femmes recrutées dans des villages pauvres des environs restent enfermées pendant neuf mois, loin de leurs familles, avec interdiction de sortir. Pionnière du secteur, elle travaille en réseau avec des cliniques en Israël et aux États-Unis qui lui envoient des clients. Les Indiens représentent environ un tiers de sa clientèle, un autre tiers sont des compatriotes de la diaspora, et un dernier tiers des étrangers.

Cette quinquagénaire emblématique, forcément controversée, est devenue la bête noire de tous les détracteurs de la GPA. Mais elle compte aussi de nombreux supporters dans le pays. À commencer par les mères porteuses elles-mêmes.

Alors, qui est vraiment le Dr Nayana Patel ? Une affairiste sans scrupule, qui a fait fortune en exploitant des femmes illettrées pour se livrer à grande échelle au trafic d'enfants ? Ou une espèce de mère Teresa, qui permet à des femmes de réaliser leur rêve d'enfants, et à d'autres de sortir de la misère ?

On la rencontre en novembre 2014 dans sa clinique, à Anand. « Madam », comme l'appellent respectueusement les mères porteuses, le terme employé par les domestiques avec leur patronne, accepte de nous faire visiter les coulisses de son entreprise. Elle vient de fêter l'accouchement de sa cinq-centième mère porteuse, une jeune indienne de 28 ans, abandonnée par son mari avec deux enfants en bas âge. Le bébé, une petite fille, a rejoint sa famille, un couple d'Indiens aisés de l'Uttar Pradesh, dans le nord du pays. Dans la salle d'attente bondée de la clinique, où des dizaines de mères porteuses viennent postuler, souvent accompagnées de leurs belles-mères, une photo dédicacée d'Oprah Winfrey : depuis que la star américaine du talk-show a réalisé une émission sur sa clinique Akanksha, le docteur Patel est une star. À l'époque, elle accepte encore les interviews sans trop de difficultés. Pas très chaleureuse, mais réellement charismatique, cette femme au caractère trempé veut aussi défendre son *business model* : oui, elle dirige une entreprise florissante. Mais elle fait aussi, jure-t-elle, œuvre sociale. « Ceux qui parlent d'exploitation se trompent complètement. Ce qu'il faut comprendre, c'est que nous donnons du pouvoir économique à des femmes, qui, avant cela, n'avaient rien », plaide-t-elle. Vraiment ?

La visite commence par la salle d'opération. Une jeune femme est prête : allongée sur la table d'examen, les pieds dans les étriers, elle attend l'arrivée du médecin. Deux aides-soignantes braquent une lampe sur son bas-ventre recouvert d'un drap… Les yeux fermés, elle étouffe un gémissement quand le médecin, lampe frontale sur la tête, lui implante deux embryons avant de ressortir sans un mot. Si ce premier essai ne prend pas, un autre sera tenté. Dans la salle voisine où travaillent les embryologistes, des fûts en aluminium, semblables à des bidons de lait, sont alignés en rang. Dans l'un d'entre eux, quatre autres embryons fabriqués à partir d'ovules de la même mère et fécondés par le sperme de son mari attendent dans des cuves d'azote liquide. « Les parents n'auront pas besoin de revenir, explique le Dr Patel. Même si nous préférons travailler avec des embryons frais qui donnent de meilleurs résultats, la congélation permet de multiplier les tentatives. » Voire, pour les clients qui ne veulent pas faire le déplacement, d'envoyer des embryons congelés depuis leur pays d'origine *via* une société spécialisée. Il ne leur en coûtera que quelques milliers de dollars de plus…

L'implantation aura duré moins de dix minutes. Son petit baluchon sur l'épaule, la jeune femme est directement conduite à la *surrogate house*, la maison des mères porteuses, à quelques centaines de mètres de là. Elle n'en sortira plus, maintenant, si tout se passe bien, jusqu'à la naissance du bébé. Son ventre ne lui appartient plus. Ses deux enfants de 7 et 9 ans pourront lui rendre visite une fois par semaine, avec leur père, ouvrier agricole. Elle rencontrera pour la première fois les futurs parents. Elle ne sait rien d'eux au moment de l'accouchement. Elle subira sans doute une césarienne, pour que ceux-ci puissent être sur les lieux le jour J. Enfin, s'ils le souhaitent. Certains ne veulent pas voir leurs mères porteuses. Cela arrive. Son job terminé, la jeune femme pourra alors rentrer chez elle, au village, à 50 km de là, et retrouver sa famille. Elle est contente que l'embryon soit celui d'un couple étranger. C'est mieux payé. Sur son compte en banque, ouvert pour l'occasion, en plus des 50 dollars qu'elle touchera chaque mois, il devrait y avoir environ 4 000 dollars, 500 de plus si ce sont des jumeaux, 500 encore s'il faut recourir à une césarienne. Une vraie fortune, l'équivalent de dix ans de salaire. Comment refuser une telle occasion, quand on gagne moins d'un dollar par jour ?

Fin 2014, elles sont une centaine de femmes enceintes, à différents stades de leur grossesse, à vivre dans la *surrogate house* : un petit immeuble propret de deux étages avec de grands dortoirs dépouillés, meublés de lits métalliques recouverts d'un drap, serrés les uns contre les autres. Chacune y a accroché un petit sac pour stocker ses quelques objets personnels. Dans la salle commune décorée de vilains posters décolorés de bébés, un vieux téléviseur et des machines à coudre... Dans cet étrange gynécée, elles brodent, dorment, bavardent, font la cuisine. La plupart viennent des villages du Gujarat ou de bidonvilles d'Ahmedabad, quelquefois de beaucoup plus loin.

Pourquoi diable couper ainsi ces femmes de leurs familles ? L'idée en est venue à Nayana Patel au fil des ans : « Les premières rentraient chez elles. Mais il y avait trop de risques pour les bébés. Elles se nourrissaient mal, travaillaient dur, souffraient de carences. Il valait mieux pour tout le monde qu'elles soient à l'abri, avec une nourriture saine et contrôlée. » Nourries et logées, les jeunes femmes sont aujourd'hui sommées de s'occuper et si possible de se former. « Madam » y tient. « Au début, les filles se croyaient à l'hôtel. Elles traînaient au lit toute la journée », explique Maala, 69 ans, la « superviseuse », une femme pas commode qui surveille l'une des deux unités de la maison des mères porteuses. Des cours d'anglais, d'informatique, de couture ou d'esthétique rythment les longues semaines de grossesse. Les visites des familles sont autorisées le samedi. Encore faut-il qu'elles n'habitent pas trop loin, et qu'elles aient les moyens de payer le voyage. Maanisha, une jeune veuve avec trois enfants qui vit dans un village à 200 km de là, n'a pas revu les siens depuis six mois. Au village, elle n'a parlé à personne de cette grossesse. Aux voisins curieux, elle a dit travailler auprès d'une riche famille, qui l'emmenait comme domestique au Rajasthan. Seules ses filles de 15 et 16 ans sont au courant de sa véritable activité. Sa première grossesse lui a permis d'acheter un toit. Un rêve qu'elle n'aurait jamais cru accessible : « Toute une vie de travail n'y aurait pas suffi », affirme-t-elle, les yeux brillants de fierté. Celle-ci financera le mariage de ses filles, ces cérémonies si coûteuses qu'elles endettent les familles pour des générations. Son amie Basima, elle, a acquis un lopin de terre. On la rencontre avec son mari, à une heure de route d'Anand, dans sa misérable cabane, uniquement meublée d'un lit relevé contre le mur. « Dans notre famille, jamais personne n'a été propriétaire. Nous sommes des ouvriers agricoles, des journaliers, de génération en génération. Maintenant, on va aussi pouvoir acheter un bœuf, peut-être deux. On fera travailler des gens. C'est une révolution dans notre vie, dans notre famille. » Suspendus au mur, bien repassés, les uniformes scolaires de ses enfants, qu'elle envoie désormais dans une école privée. Non, elle ne regrette rien. Elle demande cependant qu'on change son nom, de crainte qu'un voisin, un jour, ne les reconnaisse. Certains pourraient s'imaginer qu'elle a eu des relations sexuelles avec un autre homme, que ce bébé est vraiment le sien. « La honte rejaillirait sur toute ma famille », explique une autre gestatrice, mère de trois enfants. C'est la deuxième fois qu'elle vient ici. La première, c'était pour payer les traitements de sa sœur, malade du cancer. Sa sœur est morte. Elle a ensuite repris son travail d'employée de maison, « chez un très bon patron », pour 20 dollars par mois… Cette fois, les 5 000 dollars promis devraient lui permettre d'acheter une échoppe. Toutes ont des rêves plein la tête. L'une espère ouvrir un atelier de couture, l'autre, un petit magasin. Elles répètent aussi qu'elles n'ont pas le choix, qu'elles sont honnêtes, que c'était pour elles « le seul moyen décent » de s'en sortir, une allusion à peine voilée à la prostitution… « Est-ce que vous nous jugez ? » s'inquiète l'une d'elles. Non. Franchement, non. Ces femmes qui font ce qu'elles peuvent pour donner une chance à leurs familles, pour changer le cours d'un destin tout tracé forcent l'admiration. Leurs histoires sont poignantes. Vahila, mère de deux petits de 3 et 7 ans, est enceinte pour autrui pour la deuxième fois. Ses enfants lui manquent terriblement mais elle est contente : elle a pu acheter un rickshaw à son mari, devenu taxi. Souvent, elle pense à ce premier bébé de 3,5 kilos, tout rose, auquel elle a donné naissance, « le seul ce jour-là qui n'ait pas eu besoin de couveuse », dit-elle fièrement. Elle n'a jamais vu les parents. Ils vivent en Allemagne, croit-elle savoir, un pays qu'elle situe aux États-Unis. Ils sont repartis avec le bébé, sans qu'elle les croise. Ça la rend un peu triste. « C'est tout de même mon sang. » Cette fois, jure-t-elle, ce sera différent. « Je suis mieux préparée. Je ne m'attacherai pas. Je penserai juste à l'argent. » Toutes, sans exception, regrettent de ne pouvoir être mères porteuses que deux fois. Mais Madam est intraitable.

Quand les mères porteuses américaines répugnent à évoquer l'argent, préférant parler de « don de soi », du « bonheur d'être enceinte » ou encore de « la joie de combler une femme stérile », toutes ces femmes le disent clairement : si elles sont ici, c'est pour l'argent. « Si je touche ce qui m'a été promis, tout ira bien », martèle Lashya, 22 ans, enceinte de quatre mois, un peu méfiante. Les 4 000 dollars promis lui semblent tellement énormes. Et si on la grugeait ? Ses amies la rassurent. « Le Dr Patel est notre dieu, la première à s'être occupée de nous, raconte Sharijiamitra. Elle ne nous laissera jamais tomber. »

Plus de la moitié de ces femmes sont enceintes de jumeaux. Pour multiplier les chances de succès, les protocoles prévoient généralement l'implantation de deux voire trois embryons. Autre point souvent soulevé par les opposants de la GPA : pour que les futurs parents puissent être là le jour J, la délivrance passera souvent par un accouchement déclenché et une césarienne, mettant *de facto* en danger les mères porteuses. C'est vrai ici, comme ça l'est aux

États-Unis. En revanche, même si, ici aussi, aucune loi ne vient réguler le business, les règles fixées par le Dr Patel sont bien plus strictes que celles qui prévalent dans certaines cliniques américaines.

Ici, pas question de sélectionner le sexe du futur enfant : c'est écrit noir sur blanc, dans toutes les langues et en gros caractères, sur les murs de la clinique. Dans ce pays qui souffre encore des avortements en masse et d'infanticides de petites filles, le gouvernement est intraitable avec tout ce qui peut ressembler à de l'eugénisme. Le Dr Patel ne plaisante pas avec le sujet. « S'il y avait le moindre soupçon sur ce point, ma clinique serait fermée du jour au lendemain », dit-elle. Autre obligation : l'un des parents au moins doit avoir un lien génétique avec le bébé, nécessaire à la conception de l'embryon. On peut acheter le sperme ou l'ovule, mais pas les deux. Pas de bébé en kit possible, donc. Trois : chez le Dr Patel, pas de triplés. Trop risqué, pour la mère et les enfants. « Si mes concurrents veulent l'autoriser, c'est à leurs risques et périls. » Dans sa clinique, si l'un des embryons se divise en deux, il y aura automatiquement réduction. Contrairement aux États-Unis, la gestatrice, pour le coup, n'aura pas voix au chapitre. « C'est sa santé qui est en jeu », plaide Nayana Patel... Quatre : pas de parents célibataires. En 2009, au tout début de son activité, un cas difficile lui avait donné des cheveux blancs : les parents, un ménage japonais, avaient divorcé avant la naissance du bébé. Quel nom apposer sur le certificat de naissance ? La mère porteuse ? La donneuse d'ovocytes ? La mère intentionnelle qui n'avait aucun lien génétique avec l'enfant ? Le bébé avait trois mères mais n'appartenait en fait à personne. Finalement, la Cour suprême indienne a délivré au père japonais un certificat d'identité qui ne mentionnait ni la nationalité, ni le nom de la mère, ni la religion de la petite fille prénommée Manji. Le consulat du Japon lui avait accordé un visa d'un an, et l'enfant a pu repartir avec son père et sa grand-mère. « Depuis, le père s'est remarié et tout se passe très bien », assure le médecin. Un autre couple lui avait procuré des sueurs froides, des Allemands à qui le consulat avait refusé de délivrer des passeports. Comme la France, l'Allemagne refuse catégoriquement tout recours à la GPA, et ne délivre pas de papiers en cas de suspicion. Les parents avaient dû s'installer provisoirement à Anand. L'affaire avait fini par se régler *via* une procédure d'adoption. Mais le casse-tête juridique avait duré des mois.

Depuis, contrairement à d'autres médecins de Mumbai et de New Delhi, Nayana Patel a refusé clairement les clients originaires de pays où la GPA est illégale. Plus question de prendre de risques. « Je n'ai pas envie de me retrouver avec un bébé apatride et sans papiers sur les bras. » *Exit* les couples gays aussi : « Je n'étais pas à l'aise avec cette idée depuis le début. Et comme j'avais assez de clients comme ça, ce n'était pas nécessaire. » Grand bien lui en a pris : en 2011, l'Inde a brutalement interdit, du jour au lendemain, toute adoption et recours aux mères porteuses pour les couples homosexuels et les célibataires, plongeant les agences qui s'étaient engagées avec des clients gays dans des situations désastreuses. « Ils ont stocké des tas d'embryons congelés et ne savent plus quoi en faire. Je n'aimerais pas être à leur place », ironise Hishem Patel, un chirurgien orthopédique, qui s'occupe aujourd'hui de tout l'aspect juridique de la clinique créée par sa femme.

Selon le code de bonne conduite établi par le Dr Patel, qui sera finalement adopté par le Comité indien de la recherche médicale, les mères porteuses doivent avoir déjà porté au moins un enfant ; obtenir le consentement écrit de leur époux si elles en ont un ; avoir plus de 21 ans et moins de 35 ; et renoncer à tout droit sur l'enfant. Comprennent-elles toujours bien ce à quoi elles s'engagent ? Les contrats sont généralement rédigés en anglais. La plupart des candidates sont illettrées et ne parlent que le gujarati. Évidemment, le Dr Patel jure qu'il s'agit chaque fois d'un consentement éclairé. Difficile de la croire sur parole. Mais ce qui est vrai, c'est qu'une grande majorité d'entre elles ne regrette rien : « Nous n'obligeons personne à venir. Je ne dépense pas la moindre roupie en publicité. Les femmes viennent ici de leur plein gré, par le seul bouche à oreille. » Soit. Mais ont-elles vraiment le choix ? C'est la seule échappatoire possible à la misère.

La petite entreprise du Dr Patel a commencé avec une jeune Indienne vivant à Londres, fraîchement mariée et désespérée d'apprendre qu'elle ne pourrait jamais porter d'enfants. « Elle craignait que son mari ne demande le divorce. C'était en 2001. On a cherché une mère porteuse partout : impossible d'en trouver une », raconte-t-elle. C'est finalement la propre mère de la patiente qui va porter les embryons, des jumeaux, « pour sauver le mariage de sa fille ». « L'affaire de la grand-mère porteuse », comme la nommeront les journaux, va faire grand bruit, susciter de nombreuses critiques, mais aussi, par ricochet, lui faire une bonne publicité. En 2002, alors que l'Inde légalise la gestation pour autrui, un couple arrive en mettant 6 000 dollars sur la table : « Je leur ai dit que je n'avais personne. Mais une infirmière, qui se trouvait dans mon bureau, s'est immédiatement proposée pour porter le bébé ! Puis sa sœur, pour un autre couple. Le bouche à oreille a fait le reste. » Après « des dizaines de nuits blanches », à se ronger les sangs en imaginant tous les risques possibles, la clinique Akanksha (« immense désir » en gujarati, du prénom de son premier bébé-éprouvette) était née.

Profil de médaille et discret collier de perles, cette petite femme énergique, droite dans son sari, défend bec et ongles son activité qui ne vise, dit-elle, qu'à essayer de « rendre des gens heureux ».

Maîtrisant sur le bout des doigts la stratégie du « *story telling* », elle raconte cette histoire à tous les journalistes : un couple écrasé de dettes avait décidé de se suicider. Les créanciers exigeaient que la femme, très jolie, se prostitue pour les rembourser. Décidés à mourir, ils sont arrivés à Anand avec le projet de se jeter sous un train. Mais, auparavant, ils avaient voulu prendre un dernier repas ensemble. Coup de chance : les chapatis étaient enveloppés dans un journal qui parlait de la clinique Akanksha. « Aujourd'hui, ils ont remboursé leurs dettes, possèdent une petite épicerie, et sont très heureux. »

Vrai ou faux, ce conte de fées reflète une certaine réalité. Pour les femmes de ces villages qui survivent avec moins d'un dollar par jour, toujours sous pression de créanciers, ces 5 000 dollars peuvent, effectivement, changer un destin. Les candidatures spontanées affluent. Elle n'en retient, dit-elle, qu'une sur quatre.

« Nous sortons des femmes de la misère, tout en offrant à d'autres le bonheur d'être mère, poursuit-elle. L'instinct de procréation et celui de survie sont les deux traits basiques de l'être humain. J'ai, d'un côté, des parents au bout du rouleau, désespérés de ne pas avoir d'enfants. De l'autre, des femmes très pauvres qui doivent subvenir aux besoins de leur famille. » Impossible, d'après elle, de comprendre ce deal « gagnant-gagnant » si on n'est pas soi-même dans cette situation : « Que tous les donneurs de leçons commencent par apporter des solutions à ces familles malheureuses, à ces femmes désespérées. Alors seulement ils auront le droit de me critiquer. »

Lorsqu'on la rencontre, son activité est en plein boom. Les statistiques, qu'elle tient avec un soin méticuleux, connaissent « une croissance à deux chiffres » : 3 bébés en 2006, 69 en 2008, 147 en 2012… Chaque mois, trente à quarante grossesses sont mises en route. Elle pourrait en avoir beaucoup plus, mais elle préfère garder le contrôle de la production. Le 15 octobre 2015, elle fêtait en grande pompe la naissance du mille unième bébé et inaugurait une nouvelle clinique : 10 000 mètres carrés flambant neufs entièrement dévolus à la GPA. Un étage pour les FIV, un autre pour les mères porteuses, un troisième pour la néonatalogie et les parents intentionnels… Elle comptait y faire travailler des ex-mères porteuses, comme coordinatrice ou superviseuses.

La décision du gouvernement indien, le 3 novembre 2015, d'interdire la GPA aux étrangers ne pouvait pas tomber plus mal. Désormais, plus aucun étranger ne pourrait obtenir un certificat de naissance pour un bébé né en Inde d'une mère porteuse. « J'étais abasourdie, soupire au téléphone Nayana Patel. Nous n'avions reçu aucun avertissement, perçu aucun signe avant-coureur. » Elle ignore toujours ce qui a déclenché cette décision drastique. « Les uns disent que c'est le lobby de certains pays étrangers, d'autres des bisbilles intergouvernementales. Personne ne sait. » C'est la catastrophe. Elle fait appel à des avocats, et parvient, bon an mal an, à faire sortir du pays tous les bébés dont la grossesse était en cours. Mais pour les familles dont les embryons congelés étaient stockés à l'hôpital en attendant d'être implantés, aucune solution n'est proposée. « Nous sommes encore dans un casse-tête juridique. Il faut des autorisations spéciales pour les faire sortir du pays et c'est très compliqué à obtenir. » Outre les futurs parents désespérés, selon elle, les principales victimes de cette décision, ce sont les mères porteuses, qui ont soudain perdu une énorme source de revenus sur laquelle elles comptaient. Elle n'a pas mis la clé sous la porte pour autant, et continue à travailler pour des familles indiennes, mais n'emploie plus que cinquante mères porteuses, moitié moins qu'autrefois. « C'est d'autant plus injuste que de plus en plus de pays riches s'ouvrent à la GPA. Et chez nous, parce que ces femmes sont pauvres, c'est interdit. C'est absurde. » Dans le pays, les réactions sont contrastées. Kavita Krishnan, porte-parole de l'association féministe All India Progressive Women's Association, se félicite d'une décision mettant fin *de facto* à une pratique eugéniste, où une femme peut se déclarer propriétaire du ventre d'une autre, et décider quel type de bébé elle devra mettre au monde. Mais d'autres ne sont pas d'accord : « Ce qui me gêne, c'est qu'il y ait deux poids, deux mesures, écrit la blogueuse Renu Pokharna, spécialiste des questions féministes : on s'indigne de l'exploitation de femmes réduites à des utérus, mais ça ne gêne pas grand monde que, à chaque coin de rue, des femmes contraintes de se prostituer soient réduites à des vagins. Au moins, on veille à ce que les premières soient en bonne santé. Les autres, personne ne s'en préoccupe. » Sans surprise, Nayana Patel remue ciel et terre pour faire revenir le gouvernement de Narendra Modi sur ses positions : « Nous ramenons l'Inde dix ans en arrière, s'indigne-t-elle dans l'*India Times*, le principal quotidien du pays. Cette décision est discriminatoire. Si la GPA est désormais interdite, pourquoi est-ce que ça ne concerne que les embryons des étrangers ? S'il y a des dérives dans le système, corrigez-les. Mettez en place des lois éthiques qui protègent à la fois les mères porteuses et les futurs parents. N'enlevez pas à ces femmes l'espoir d'une meilleure vie. Si, au lieu de cela, vous maintenez cette loi, les couples étrangers trouveront une alternative dans un autre pays », prévient-elle dans la pétition qu'elle envoie au gouvernement indien. En vain.

Nayana Patel n'avait pas tort. En dix ans, aucune interdiction frappant la GPA n'a réussi à stopper cette activité. Bannie dans un pays, elle se déplace immédiatement dans un autre. Quand le gouvernement indien avait fermé la GPA aux couples gays, en 2013, de nombreuses mères porteuses indiennes qui n'avaient besoin ni de visa ni de passeport pour passer au Népal avaient été discrètement exfiltrées à Katmandou ou dans de petites villes des environs. Il n'a pas fallu plus de quelques mois pour que le « toit du monde » devienne une destination phare notamment pour les couples gays israéliens et australiens. La plupart du temps, les mères porteuses ne savent pas que leurs clients sont népalais, homosexuels. Profitant du vide juridique, des médecins, des agences spécialisées s'engouffrent dans la brèche. Des guest houses destinées aux futurs parents venus de l'étranger poussent comme des champignons, à proximité des cliniques privées. Des recruteurs, payés 1 000 dollars pour chaque grossesse menée à terme, arpentent les bidonvilles pour recruter des mères porteuses. Afin d'échapper à la réprobation de leurs voisins, certaines vont vivre pendant leur grossesse de l'autre côté de la frontière, puis reviennent pour accoucher. Dans un premier temps, profitant de cet afflux de devises, le gouvernement népalais ferme les yeux. Mais des scandales éclatent. Les tests ADN, obligatoires en Israël pour établir le certificat de naissance, vont révéler des trafics d'embryons. Pour faire baisser les coûts, des mères porteuses, sans le savoir, auraient été inséminées avec le sperme du futur père, sans passer par une donneuse d'ovules.

Pas de contrôle, pas de lois… C'est la GPA sauvage et la porte ouverte à tous les abus.

Le terrible tremblement de terre d'avril 2015, au cours duquel quatre mille personnes périssent, va mettre brusquement fin à cette pratique. Tandis que le pays est dévasté, que des millions de Népalais, sans abri, sont dans le dénuement le plus total, le gouvernement israélien organise, dans les jours qui suivent le séisme, une mission de sauvetage pour évacuer vingt-six nourrissons.

Les images de ces bébés accueillis sur le tarmac de l'aéroport de Tel Aviv vont jeter un éclairage brutal sur une activité jusque-là discrète et indigner l'opinion publique. On s'interroge sur le bien-fondé de cette mission de sauvetage à deux vitesses : « Comment se fait-il que personne n'ait de l'intérêt, de la compassion pour ces femmes qui viennent d'un milieu si difficile, qui louent leur ventre, et qui se retrouvent abandonnées dans cette zone de désastre ? » s'interroge l'écrivain Alon-Lee Green. De nombreux intellectuels demandent au gouvernement israélien de revoir ses lois sur la GPA et de l'ouvrir aux couples gays, pour en finir avec cette exploitation… En septembre 2015, la Cour suprême du Népal suspend à son tour les opérations de GPA. Toute exportation des embryons qui y ont été transférés à grands frais est interdite.

Un an plus tôt, en juillet 2014, la Thaïlande elle aussi avait été secouée par une série de scandales.

C'est d'abord l'affaire de « Baby Gammy » : une mère porteuse thaïe donne naissance à des jumeaux pour un couple d'Australiens qui va prendre la petite fille, en parfaite santé. Mais abandonner le petit garçon, atteint de trisomie 21, que la gestatrice va adopter. C'est en tout cas ainsi que l'affaire est présentée dans les médias. Tollé général et émotion planétaire. Des dizaines de milliers de dollars sont envoyés pour aider la mère porteuse à élever l'enfant. Interviewé, le couple, un quinquagénaire australien et sa femme d'origine chinoise, apparaît mal à l'aise. Leurs explications sont confuses. Pour couronner le tout, l'homme aurait été condamné quelques années auparavant pour des faits répétés de pédophilie. Haro sur la GPA. Finalement, le procès, qui aura lieu deux ans plus tard, laissera entrevoir une réalité plus complexe que ce sordide tableau initial… Mais trop tard, le mal est fait.

Quelques semaines plus tard, autre scandale, plus ahurissant encore : en août 2014, c'est un véritable « élevage de bébés », avec seize nourrissons placés sous la garde de nounous, que les policiers vont découvrir dans un appartement de Bangkok… À 24 ans, Mitsutoki Shigeta, un riche héritier japonais, en est le père et le commanditaire exclusif. Onze mères porteuses ont travaillé pour lui. Au directeur de New Life Clinic, la clinique antifertilité où sont nés deux de ses enfants, il avait déclaré vouloir concevoir dix à quinze enfants par an… Il disait que c'était le plus bel héritage qu'il pouvait laisser sur terre et qu'il entendait continuer à ce rythme jusqu'à sa mort. Il avait également prévu de faire congeler son sperme en prévision de ses vieux jours. Les enfants ont été pris en charge par les services sociaux.

Cette fois, le gouvernement thaï, qui fermait les yeux depuis des années sur cette activité aussi douteuse que lucrative, n'a plus le choix. Sous la pression de l'opinion publique, il dit stop : le 20 février 2015, le couperet tombe sur la Thaïlande : la GPA est formellement interdite aux étrangers et aux couples gays. Les parents intentionnels doivent être mariés depuis trois ans. Et l'un au moins doit posséder la nationalité thaïe. Plus aucun bébé ne pourra désormais quitter le pays sans une décision de justice statuant sur sa filiation. « La Thaïlande et les utérus des femmes thaïlandaises ne seront plus jamais une plaque tournante de ce marché », déclare solennellement le député Wallop Tungkananurak, menaçant de dix ans de prison les étrangers qui tenteraient de recourir de façon illégale à une mère porteuse… Mais que les détracteurs du « tourisme de la reproduction », qui appellent à une prohibition mondiale, ne se réjouissent pas trop vite : le 22 janvier 2016, une femme de 46 ans donnait naissance au premier bébé né par GPA à Hanoi, au Vietnam, une petite fille de 3,6 kilos née par césarienne. Selon le site d'info en ligne VN Express, trente enfants conçus de cette manière étaient attendus dans les prochains mois.

7

Low cost ou *all inclusive*

« Bienvenue dans le monde merveilleux de la maternité de substitution ! » proclame d'emblée le site de Subrogalia sur sa page d'accueil : « Transformez en réalité votre rêve de devenir parent ». L'Espagne a beau interdire formellement le recours aux mères porteuses, l'agence, qui prétend sans aucune gêne être le « premier cabinet spécialisé en GPA », est installée en plein cœur de Barcelone. L'information y est disponible en espagnol, en italien, en anglais et en français : sous un diaporama de jolis bébés potelés, la société liste les vingt-six bonnes raisons de lui confier la réalisation de son projet d'enfant. Une équipe de psychologues, d'embryologistes, de gynécologues et de médecins, « 54 spécialistes à votre service ». Une garantie de résultat, des budgets fixes et sans surprise, des financements sur mesure ; des formules low cost ou *all inclusive*. Et même un petit panier complet de maternité pour les parents inexpérimentés ou étourdis qui pourraient avoir oublié quelque chose au moment d'aller chercher leurs nourrissons… « Plus de deux cents parents heureux chaque année », affirme le site qui s'enorgueillit d'être « le plus gros client des cliniques avec lesquelles nous travaillons dans le monde »…

Quelques clics suffisent pour s'inscrire en ligne. La réponse tombe dans votre boîte mail quinze minutes plus tard. Outre la promesse de pouvoir bénéficier des plus prestigieuses cliniques, le message, ciblé sur les clients français, prévient toutes vos inquiétudes : « Grâce à la circulaire Taubira, qui permet de faire reconnaître la nationalité française des enfants nés par GPA et l'assistance de nos cabinets juridiques en France spécialisés en gestation pour autrui, nous vous assurons l'entrée en France de votre enfant, et l'obtention de la nationalité française ».

Hum ! Vraiment ? Au téléphone, Diego Sanchez, qui se présente comme le fondateur et le patron de Subrogalia, est volubile et convaincant : « Nous recevons chaque mois trois mille demandes d'information en ligne ou par téléphone provenant du monde entier ! La GPA est peut-être interdite en France mais la réalité est têtue. Elle est plus forte que l'administration. Les Français sont nombreux à y avoir recours et ils continueront à le faire », affirme le jeune homme qui prétend crouler sous les demandes émanant de l'Hexagone. Que la GPA soit formellement interdite dans son pays ne le gêne pas : « L'Espagne est déjà l'un des principaux pays pourvoyeurs de FIV, avec des banques d'ovocytes sans équivalent en Europe. Il n'y a aucune raison pour que les lois n'évoluent pas favorablement sur le sujet de la GPA également », assène-t-il.

Le patron de Subrogalia, en vérité, flirte avec une ambiguïté de la loi ibérique. Certes, l'Espagne interdit la gestation pour autrui, mais uniquement sur son sol. Rien n'empêche d'en faire la publicité, ou d'embaucher des mères porteuses à l'étranger. Et, contrairement à ceux des couples français, les bébés des couples espagnols ne risquent pas de se retrouver sans papiers : le ministère de la Justice a ordonné à tous les consulats d'inscrire les enfants nés par GPA dans les registres d'état civil. Diego Sanchez prétend employer des mères porteuses en Russie, aux États-Unis, en Ukraine, en Géorgie, au Mexique, et jusqu'au Kazakhstan ! Depuis l'été 2014, le site affirme également avoir ouvert un programme en Grèce. « Tout ce que vous avez à faire est d'apporter votre matériel génétique, si vous l'utilisez. Pour le reste, nous nous occupons de tout. » Peut-on l'envoyer, si on ne peut pas se déplacer ? « Oui, sans aucun problème.

Mais ce sera plus cher. » Vous raccrochez avec l'impression qu'une carte Gold et quelques clics suffisent à commander un enfant.

Drôle de société. Créée fin 2012, elle revendique la naissance de 250 bébés par an. Mais, dans le milieu de la GPA, personne ne la connaît… Impossible de trouver le moindre témoignage de client crédible ayant fait appel à ses services : il faut s'en tenir aux nombreuses lettres de remerciement, toutes du même style, évidemment dithyrambiques, publiées sur son site… Quant à Diego Sanchez, son profil laisse perplexe : le jeune homme de 23 ans, qui se définit sur les réseaux sociaux comme un « serial entrepreneur autodidacte », affirme posséder une bonne vingtaine de sociétés pour 50 millions d'euros de chiffre d'affaires. Impossible à vérifier tant les statuts du groupe sont opaques. Dans son escarcelle, on trouve Legisdalia, une société juridique « spécialisée dans le droit de la famille », une société de publicité en ligne et de création de pages web, une autre consacrée à la chirurgie esthétique au Mexique, en Équateur et en Colombie, une troisième à la distribution de boissons alcoolisées… L'une d'entre elles est dédiée au business de la réputation et à la suppression de données en ligne. Un savoir-faire que la société semble parfaitement maîtriser tant il est difficile d'obtenir des informations sur elle… Pas le moindre petit commentaire ne traîne, ce qui est curieux, pour une agence revendiquant autant de clients… Peu d'articles la mentionnent. Un portrait est paru dans le quotidien espagnol *El Mundo*, dans lequel l'auteur s'interroge sur l'existence réelle de toutes ces sociétés. On y lit que Subrogalia serait l'une des plus dynamiques, avec un chiffre d'affaires de 17,8 millions d'euros… Une enquête publiée sur le site d'investigation El Confidencial – le Mediapart madrilène – révèle que le jeune P-DG serait en fait l'homme de paille d'un sulfureux homme d'affaires condamné pour des faits de pédophilie…

Au téléphone, Diego Sanchez se dit ravi de nous rencontrer. Rendez-vous est pris au printemps 2014. Installé dans un immeuble de bureaux, à une vingtaine de minutes de la Sagrada Familia, le siège de l'entreprise ressemble fortement, en dépit de quelques posters de bébés accrochés ici et là, à un petit call-center… Une brigade de jeunes gens installés devant des ordinateurs, casques sur les oreilles, répondent dans toutes les langues aux clients potentiels… « Oui, Diego va vous recevoir d'une minute à l'autre », promet une assistante en nous installant dans une salle de réunion Ikea. Après une attente interminable, la jeune femme revient, embarrassée. En fait Diego vient de partir, non, il ne reviendra pas, inutile de l'attendre. Le patron a filé à l'anglaise…

Face à notre insistance, un de ses collaborateurs, Alan Prados, un grand jeune homme blond, d'origine russe, accepte finalement de nous recevoir. Il coordonne les programmes des clients et travaille beaucoup avec des mères porteuses en Russie. Oui, l'entreprise va très bien, merci. Mieux : elle croule sous la demande. « Pas besoin de faire de la publicité. Les clients viennent à nous par Google. » Pour les Français, nombreux selon lui, « les choses peuvent être assez compliquées, reconnaît-il. Mais on trouve toujours une solution ».

Subrogalia a une conception très personnelle de la gestation pour autrui. En passant par eux, promet Alan Prados, les futurs parents n'auront aucun contact avec les mères porteuses. S'ils respectent les préconisations de l'agence, ils ne verront même jamais leur visage. « Ce n'est pas souhaitable. Nous nous sommes aperçus que les parents biologiques, la plupart du temps, ne le souhaitent pas. Certains m'ont même dit que ça leur donnait des haut-le-cœur », explique-t-il très sérieusement. En outre, une bonne partie de leur clientèle étant gay, c'est plus simple : des gestatrices pourraient, par principe, refuser de travailler pour des homosexuels. « Là, elles ne savent rien, et c'est très bien comme ça. »

L'agence pose-t-elle des limites éthiques ? Pourraitelle accepter, par exemple, pour cliente une célibataire de plus de 50 ans, déjà mère de deux grands enfants ? Bien sûr ! Elle n'a plus d'ovules, pas de compagnon. Outre une mère porteuse, il lui faut une donneuse d'ovocytes et un donneur de sperme aussi. « Aucun problème. » Alan Prados est en mesure de fournir des catalogues entiers de donneurs des deux sexes, de première qualité. Mais tout de même... cet enfant n'aura aucun lien, ni génétique ni biologique, avec la mère qui l'aura commandé... ! « On le fait assez souvent, notamment en Russie. » Accepteraient-ils un sexagénaire ? Un homme célibataire ? « Je vous l'ai dit, nous sommes très ouverts. »

Chez Subrogalia, il n'y a pas de mauvais clients. Devant notre insistance, le jeune homme finit par reconnaître qu'il croit se souvenir que l'agence, depuis sa création, en a refusé deux : un homme célibataire de 73 ans et un couple qui exigeait l'implantation de deux embryons pour maximiser ses chances d'avoir un enfant, mais demandait expressément qu'au cas où les deux embryons se développeraient, le second enfant soit confié à l'adoption...

Tant que le client lui semble mentalement équilibré, aucun problème. « Pourquoi pas, si c'est son rêve d'avoir des enfants... Le reste ne me regarde pas. Je ne suis pas là pour faire la morale. S'il existe un moyen de le faire légalement, qu'il le fasse. Chacun est libre et responsable de ses choix. »

Selon lui, depuis que les lois indiennes ont évolué défavorablement, le meilleur « spot », c'est l'Ukraine : « Sérieux, fiable et bon marché. » À partir de 49 000 dollars pour un package complet, contre 60 à 70 000 en Russie ou au Mexique. « Même pas la moitié de ce que vous devriez payer aux États-Unis. » Une fois la FIV réalisée, plus besoin de retourner dans le pays, « sauf pour venir chercher l'enfant ». Il promet aux futurs parents un mémo médical mensuel, une série de clichés d'échographies, et même une petite video intra-utérine. En cas de nécessité, l'agence peut organiser des rendez-vous par Skype avec la mère porteuse, l'objectif de la caméra restant fixé sur son ventre afin que les clients puissent constater par eux-mêmes l'avancée de la grossesse. « Mais vous ne verrez pas son visage », répète-t-il, comme pour me rassurer. Ici, pas de sentiments, même pour la façade. « Les femmes qui portent les enfants sont le cadet de leurs soucis, nous glissera en aparté une assistante en contrat temporaire, qui démissionnera quelques jours après cette rencontre. Ils sont tellement cyniques. »

Subrogalia n'est pas à proprement parler une agence : elle se présente comme un « cabinet de conseils juridiques » et sert en fait d'intermédiaire à des cliniques et des agences « partenaires ». À Kiev, en Ukraine, c'est BioTexCom, un établissement sulfureux, qui doit sa notoriété à une patiente suisse de 66 ans, qui a donné naissance à des jumeaux en 2012 après douze FIV effectuées dans plusieurs pays. Albert Mann, le directeur de la clinique, n'est pas peu fier de cet exploit : « La vie commence à 60 ans ! » écrit-il sur son blog. Chez BioTexCom, qui vous promet « une conception à n'importe quel âge et à un prix raisonnable », on repousse toutes les frontières du possible et du raisonnable. Dans ce « centre pour la reproduction humaine », toute la chaîne de production est intégrée : il vous faut un don d'ovocytes ? Pas de problème ! Il vous suffira de choisir une donneuse parmi « une base de données de 200 jeunes filles belles, en bonne santé, éduquées ». Les dons sont anonymes. Ni la donneuse ni la receveuse ne peuvent communiquer. L'agence s'engage à « vérifier la santé et les conditions de vie des mères porteuses durant la grossesse », garantit « un nombre illimité de tentatives » et le remboursement intégral des sommes d'argent versées en cas d'échec. Avec en prime, « la possibilité de pouvoir visiter l'une des plus belles capitales européennes ».

Toutes les options sont précisément détaillées, calendrier des paiements à l'appui : « package économe » à 29 000 euros, avec hébergement en studio, « standard » à 39 000 euros, ou « VIP » à 49 000 avec chauffeur, appartement de cent mètres carrés en centre-ville, visites guidées, repas gastronomiques... À ce prix-là, le diagnostic préimplantatoire complet permettant de déceler d'éventuelles maladies génétiques ainsi que le sexe de votre futur bébé est compris. Vous bénéficierez en outre des services d'une baby-sitter, et de l'accompagnement personnalisé d'un manager de BioTexCom dans la langue de votre choix : anglais, français, italien, roumain, chinois…

Depuis que la GPA a été autorisée en Ukraine au tournant des années 2000, agences et cliniques spécialisées y ont poussé comme bolets dans les sous-bois. BioTexCom est la plus célèbre. Mais il y en aurait une cinquantaine, implantées dans toutes les grandes villes du pays. La plupart d'entre elles s'adressent clairement à une clientèle internationale attirée par des prix défiant toute concurrence et un vivier exceptionnel de donneuses d'ovules caucasiennes. Dans ce pays où le salaire moyen dépasse rarement les 300 dollars par mois, les candidates prêtes à vendre leurs gamètes ou à louer leur ventre ne manquent pas. En principe, les donneuses, soumises à de lourds traitements hormonaux, ne peuvent dépasser six ou sept cycles de stimulation ovarienne, préalable à tout prélèvement d'ovocytes. Mais libre à elles de dire la vérité sur le nombre de dons qu'elles ont déjà effectué au médecin. Qui ira vérifier ? Les candidatures sont aussi nombreuses que la « compensation » financière est attractive : 300 dollars environ pour une donneuse d'ovocytes, 10 000 à 15 000 dollars pour une mère porteuse, majorés de 25 % pour des jumeaux, plus 400 dollars mensuels d'aide au logement et de nourriture…

Caissière dans la banlieue de Kiev, Olga, 32 ans, a porté trois enfants en plus de sa propre fille, dont des jumeaux pour un couple d'Espagnols et le fils d'une Italienne. Les bébés, elle les a à peine vus. Les parents sont repartis très vite. Mère célibataire, elle ne regrette rien : « Avec mon salaire de 130 euros par mois, et la retraite de ma mère, 80 euros, on ne vit pas, on survit. Là, j'ai l'impression d'avoir mis ma famille à l'abri du besoin. » Avec l'argent ainsi gagné, elle espère pouvoir envoyer sa fille en stage en Grande-Bretagne ou aux États-Unis, peut-être même quitter le pays. Elle sait que ses voisins médisent dans son dos, mais elle s'en moque. « Franchement, je n'ai rien fait de mal. Et si ma fille réussit à s'en sortir, c'est que j'aurai fait le bon choix. »

La loi ukrainienne est précise : la gestatrice doit être âgée de 18 à 35 ans et ne peut porter d'enfants conçus avec ses propres ovocytes. Un contrat signé devant un notaire fixe sa rémunération. Elle s'engage à abandonner tout droit sur l'enfant, et accepte que son nom n'apparaisse pas sur l'acte de naissance. L'âge des clients, en revanche, n'est pas plafonné. C'est même la spécialité du pays... Mais les textes sont formels : pas de couples homosexuels ni de célibataires. Seuls les couples hétérosexuels mariés depuis deux ans au moins peuvent bénéficier d'une GPA. Pour contourner le problème, Albert Mann a ouvert une filiale à Tobasco au Mexique, le nouveau « hot spot » des parents gays, depuis que l'Inde et la Thaïlande leur ont fermé leurs portes. Mais, en décembre 2015, Tobasco à son tour a interdit la GPA aux couples de même sexe... Du coup, certaines agences transgressent tranquillement les lois. Quitte à plonger ensuite les parents dans un cauchemar administratif... En 2012, un couple belge gay s'est ainsi vu retirer purement et simplement un petit garçon, la Belgique refusant de lui octroyer un passeport, et l'Ukraine empêchant sa sortie. Il a été confié durant près de deux ans à un orphelinat avant que les parents puissent le récupérer...

Pour les couples hétéros, rien n'est simple pour autant. BioTexCom précise que toutes les démarches administratives auprès des ambassades sont à la charge des parents, mais assure que tous ses clients ont obtenu des papiers pour leurs enfants. Peut-être, mais à quel prix ! En 2011, un couple, qui avait réussi à avoir des jumelles après dix ans de traitements, s'est retrouvé dans une situation kafkaïenne. Ils ont bel et bien reçu des certificats de naissance ukrainiens à leurs noms. Mais quand ils sont allés à l'ambassade de France pour effectuer les démarches nécessaires à l'établissement de leurs passeports, l'officier d'État civil, soupçonnant une GPA, leur a réclamé un document attestant un suivi médical de grossesse que les parents ont bien sûr été incapables de fournir.

Les pièces d'identité leur ont été refusées. Et les enfants se sont retrouvés apatrides. Après des semaines de négociations vaines, le père a fini par organiser une rocambolesque fuite en camping-car, tandis que la mère rentrait en avion. Arrêtés par les gardes-frontières, ils ont été inculpés de trafic d'enfants, puis remis en liberté sous caution avec interdiction de quitter le territoire. Les bébés, eux, ont été confiés à un hôpital. Toute la famille est restée coincée en Ukraine pendant des mois avant qu'une solution soit trouvée. Il leur aura fallu patienter six mois avant de pouvoir rentrer chez eux avec leurs filles dotées de passeports ukrainiens et de deux visas Schengen... D'autres couples ont vécu peu ou prou le même cauchemar. À l'approche de l'accouchement, certains tentent le tout pour le tout, comme emmener la femme enceinte en Pologne afin qu'elle accouche dans l'espace européen. Encore faut-il que celle-ci obtienne un visa, ce qui est quasi impossible pour les ressortissants ukrainiens. Et que, ensuite, pour une raison ou une autre, crise des migrants ou terrorisme, le gouvernement ne restaure pas un contrôle des frontières. Bonne chance ! Doctorante en anthropologie, Delphine Lance, qui a passé plusieurs mois en Ukraine pour travailler sur le sujet, se souvient de ces deux Belges coincés à Kiev pendant des mois, sans revenus, ne sachant plus quoi faire, d'autant qu'ils ne parlaient pas un mot d'ukrainien… Hétérosexuels, mariés depuis plus de trois ans, respectant parfaitement le droit ukrainien, ils étaient convaincus d'être dans une totale légalité. Mais, à l'aéroport, faute de laissez-passer pour le bébé, ils ont été refoulés. Le certificat de naissance délivré par l'agence ne valait rien. Le consulat belge n'a rien voulu savoir. Il leur faudra cinq mois pour obtenir les papiers du bébé. Depuis, le directeur de l'agence par laquelle ils étaient passés a été mis en prison. Mais un autre l'a remplacé. Et l'établissement a toujours pignon sur rue.

Avec ses packs *all inclusive* et tout le vocabulaire décomplexé qui s'y rattache, les responsables commerciaux, les échéanciers, les bases de données de mères porteuses, sans compter toutes ces histoires troubles de parents qui n'arrivent pas à obtenir de papiers, la GPA en Ukraine a une très mauvaise image. À en croire les Américains, inquiets de perdre le marché, beaucoup de ces agences auraient des pratiques non éthiques, allant jusqu'à mettre les gestatrices en danger. Mais la réalité est plus complexe. Dans sa thèse, Delphine Lance a comparé la condition des mères porteuses aux États-Unis et en Ukraine. Elle refuse d'établir une hiérarchie entre une GPA haut de gamme et éthique d'un côté ; et une autre cheap et dégradante de l'autre. « D'abord, ce n'est pas parce que c'est cher que c'est éthique et *vice versa* », dénonce cette chercheuse. Dans les deux pays, les mères porteuses ne touchent qu'une petite partie de la somme versée par les parents. Mais la répartition est plus équitable en Ukraine, où elles perçoivent un tiers de l'argent, contre environ un cinquième aux États-Unis... Certes, en Ukraine, certaines agences sont véreuses et font n'importe quoi, mais les autres, au contraire, respectent scrupuleusement la loi. Certes, les *surrogates* américaines ont un discours altruiste alors que la motivation affichée des Ukrainiennes, c'est l'argent. Certes, les premières sont plutôt fières de ce qu'elles font, alors que, en Ukraine où la GPA est souvent mal vue, elles se cachent de leurs voisins. Certes, dans le premier cas, il y a un contact, voire une intimité entre la donneuse et la gestatrice alors que, dans le second, il s'agit d'une simple transaction financière. N'empêche. Delphine Lance est convaincue que la GPA est un instrument d'émancipation des femmes, un travail comme un autre, voire moins difficile que bien d'autres.

Les chercheuses suisses Carolin Shurr et Laura Perler qui ont travaillé durant deux ans sur le même sujet, interrogeant une cinquantaine de mères porteuses à Tobasco, au Mexique, où ce business a longtemps été florissant, arrivent exactement aux mêmes conclusions : « Nous avons rencontré des femmes dont la grossesse a été très bien surveillée, d'autres pas assez ; des réductions embryonnaires sélectives et des complications post-natales pour lesquelles elles ont été obligées de payer de leur poche. Mais nous avons aussi vu des femmes qui avaient enfin trouvé un moyen d'échapper à des relations violentes, heureuses d'envoyer leurs enfants dans de bonnes écoles, dont elles n'auraient même jamais pu payer les uniformes auparavant », écrivent-elles dans une longue étude publiée dans la revue *International Medical Travel Journal*. Leur conclusion ? « Interdire la gestation pour autrui n'est pas rendre service à ces femmes. Dès lors que des contrats sont établis, que leurs conditions de vie sont acceptables, leur travail en tant que mères porteuses est souvent plus sûr et plus stable que bien des jobs auxquels elles pourraient accéder. Tant que ceux qui veulent bannir la GPA n'offrent pas d'autres options économiques à ces femmes, de nombreuses Mexicaines continueront à louer leur capacité de reproduction, que ce soit sur le marché formel ou sur le marché informel. » Les deux chercheuses appellent d'ailleurs à une régulation internationale pour encadrer cette pratique partout dans le monde : « Si on prend au sérieux les droits des femmes et la lutte contre le trafic d'êtres humains, alors il faut prendre des mesures à la fois nationales et internationales pour mettre en place une politique et des lois qui régulent et contrôlent les différents acteurs du business de la gestation pour autrui. Seuls des lois et des contrats peuvent garantir que les rêves des mères porteuses pour un meilleur futur ne se transforment pas en cauchemars durant la grossesse. »

À Kiev, Olga Tsisarenko, la patronne de l'agence Successfull Parents, leur donne raison. « Oui, c'est un business, dit-elle, mais un business qui peut être éthique et profitable pour tout le monde. » Convaincue de faire œuvre utile, elle aussi parle de « relation gagnant-gagnant ». Ancienne « coordinatrice des programmes » dans une grosse agence de GPA ukrainienne, cette jolie blonde juchée sur des talons aiguilles a créé sa propre petite affaire en 2012, « pour avoir une approche plus humaine, justement ». Elle veut garder le contrôle de sa PME familiale et ne pas croître trop vite, tout en rêvant de se mettre en cheville avec une structure américaine, dont elle pourrait devenir sous-traitante. Chez elle, le package de mère porteuse démarre à 34 950 euros, dont 15 000 pour la porteuse, « à prévoir en cash »… 80 % de ses clients viennent de l'étranger, de Chypre, d'Espagne, mais aussi d'Australie et même du Cameroun… Polyglotte, Olga propose des consultations dans toutes les langues. Et en français aussi, qu'elle parle d'ailleurs fort bien. Contrairement à d'autres agences qui ne travaillent plus avec l'Hexagone, par crainte des ennuis administratifs, elle accepte volontiers des clients français, même si elle reconnaît les risques : « À condition d'être prudents, c'est jouable. » Olga jure qu'elle sélectionne soigneusement ses mères porteuses, des femmes intelligentes, raisonnables et éduquées qui ont déjà au moins une fois été mères… Toutes, dit-elle sont absolument volontaires. « Je m'assure qu'il n'y ait aucune pression de leurs maris. » Elle aussi préconise des contacts restreints avec la gestatrice qu'il est possible de choisir en ligne. « Une fois que vous l'avez sélectionnée, nous vous la réservons, assure-t-elle. Et si vraiment vous y tenez, vous pourrez la rencontrer. » Elle se méfie cependant de ces clients « qui veulent tout contrôler ». Une spécialité des Américains qui croient tout pouvoir maîtriser, selon elle. « Nos gestatrices ont déjà été mères, elles savent ce qu'une grossesse implique. Il faut leur faire confiance. Quant à leur alimentation, pardon, mais, en Ukraine, elle est bien plus saine qu'ailleurs. Nous n'avons pas d'OGM, nous ! »

8

Adopte un embryon

Josh, son premier fils, elle l'a adopté en Russie, quand il avait trois ans. Tom, le second, avant même qu'il naisse. C'est son « bébé sciences », comme elle dit, son petit miracle. Après sept ans de traitements longs et difficiles, un nombre incalculable d'inséminations artificielles, trois FIV et deux fausses couches, Kate a enfin connu le bonheur d'une grossesse parfaite. Quand Tom est né, magnifique petit bébé blond aux yeux sombres, les voisins se demandaient à qui il ressemblait le plus, à son père ou à sa mère... Pas facile de répondre. Kate et son mari, en vérité, n'ont aucune raison de ressembler à ce bébé. Ils n'ont pas plus de lien génétique avec Tom qu'ils n'en ont avec Josh. Conçu in vitro par un couple qu'ils ne connaissent pas, le petit garçon résulte d'un don d'embryon. Ses parents génétiques, qui avaient eux aussi des problèmes de fertilité, sont passés par une FIV, plusieurs années auparavant. Les embryons inutilisés ont été congelés en vue d'une éventuelle grossesse dans le futur. Puis, une fois convaincus que leur famille était complète, au lieu de les détruire, ils ont confié ceux qui leur restaient à l'adoption... Le médecin qui suivait Kate lui a suggéré cette ultime solution. Son utérus était en état de marche. Certes, cet embryon ne serait pas le sien, mais elle connaîtrait ainsi à son tour les joies de la grossesse. Elle serait sa vraie, sa seule mère... Une GPA inversée en quelque sorte.

Adopter un embryon ? Aux États-Unis, de plus en plus de couples y ont recours, souvent après avoir tout essayé, comme solution de la dernière chance, lorsqu'ils sont à bout d'économies et de forces : ces embryons « tout faits », qui ne requièrent ni achat de gamètes, ni traitements lourds déjà payés par la famille génétique, valent bien moins cher que toute autre option sur le marché de l'enfant : moins cher qu'une adoption, nationale ou internationale, moins cher qu'un don d'ovocytes, moins cher qu'une FIV. C'est l'option low cost par excellence.

Outre-Atlantique, il n'est pas rare que les Églises, qui considèrent ces petits amas cellulaires comme des orphelins en mal de famille, encouragent les familles à les « adopter ». Avec la montée en puissance des traitements antistérilité, les embryons ne manquent pas. Les cliniques spécialisées en regorgent et les stocks augmentent très vite : 400 000 en 2006, 612 000 en 2011, près d'un million aujourd'hui, rien qu'aux États-Unis ! Pour compenser les taux de réussite des FIV qui ont longtemps plafonné autour de 30 %, les couples stériles en conçoivent en effet bien plus qu'il ne leur en faut, au cas où les premiers transferts se solderaient par un échec, ou encore pour une naissance future. Résultat : les experts estiment généralement que chaque naissance par FIV aboutit à la création, en moyenne, de dix-neuf embryons ! Qu'en faire ? Les détruire ? Un crève-cœur pour de nombreux parents, qui ont eu tant de mal à les concevoir et ne peuvent s'y résoudre. Les confier à des sociétés spécialisées qui vont les conserver dans des cuves cryogéniques ? Aux États-Unis, il n'y a pas de limite de durée. Mais il leur en coûtera tout de même 350 à 1 000 dollars de frais de garde par an.

Reste la possibilité de les donner à la science… Ou de les confier à l'adoption.

Ce phénomène bien particulier, apparu outre-Atlantique en 1997, ne cesse de prendre de l'ampleur. Selon la Société américaine de médecine reproductive, mille embryons environ auraient été donnés en 2013. C'est encore peu par rapport à la demande, mais leur nombre aurait quasi doublé en cinq ans.

C'est en écoutant une radio chrétienne que Ron Stoddart, avocat de Loveland, dans le Colorado, découvre, horrifié, que, en Grande-Bretagne, une loi datant de 1990 oblige, après cinq ans de congélation, les cliniques de fertilité à détruire ou à donner à la science tous leurs embryons surnuméraires. Son sang ne fait qu'un tour. Ce grand barbu à la tête de bon Samaritain dirige à cette époque une grosse agence privée d'adoption chrétienne, Nightlight Christian Adoptions, qui place des enfants à la fois étrangers et américains dans des familles catholiques. Tant de familles désespérées de ne pas avoir d'enfants, et tous ces embryons en danger qui ne demandent qu'à se développer ! Pour lui, ça dépasse l'entendement. Il va créer Snowflakes, le premier programme d'adoption d'embryons au monde : un système où la famille donneuse va pouvoir, si elle le souhaite, sélectionner la famille à qui elle va confier ses précieux petits conglomérats de cellules. Exactement comme si c'était un enfant.

Avec le soutien appuyé de George Bush Jr, fervent partisan de cette pratique, Ron Stoddart va lancer la première campagne d'adoption d'« orphelins » congelés.

En fait, cette pratique existait déjà sous le manteau depuis plusieurs années, dans le secret des centres de fertilité. Des obstétriciens proposaient aux couples dont les FIV avaient abouti positivement de donner deux ou trois de leurs embryons à des couples épuisés par les échecs, et essayaient ensuite d'assortir génétiquement au mieux leur profil génétique à celui des futurs parents. Les dons étaient anonymes. Souvent, les médecins conseillaient même aux parents de ne rien dire à leurs enfants sur la manière dont ils avaient été conçus. Ron Stoddart, lui, va développer une tout autre approche. D'un côté, il commence à démarcher les parents génétiques et les cliniques de fertilité pour les convaincre de lui confier des embryons. De l'autre, il cible des couples de la classe moyenne en mal d'enfants avec la promesse d'une solution à la portée de toutes les bourses. Pour 8 000 dollars tout compris, vous pouvez réaliser votre rêve : « Avec nous pas de coûts cachés, pas de mauvaises surprises. » Certes, les parents devront tout de même allonger 3 000 à 6 000 dollars pour les frais médicaux ainsi que 1 000 à 3 000 autres dollars pour obtenir un agrément familial. Comme pour un processus d'adoption classique, Ron Stoddart entend soumettre le couple « adoptant » à l'examen de sa situation par une assistante sociale.

L'ensemble de la démarche baigne dans une idéologie chrétienne. Si l'Église catholique, en France, est partagée sur le sujet, aux États-Unis, les protestants y sont globalement favorables : pour eux, la vie commence avec la première division cellulaire… En France, c'est une hérésie. Pour le Pr René

Frydman, l'un des pères du bébé-éprouvette interrogé par le mensuel *Marie Claire* en 2007, « les membres de Snowflakes sont solidaires d'une idéologie sectaire qui considère que la personne humaine existe dès la fécondation, par conséquent, ils sont également opposés à l'avortement ». La psychanalyste Geneviève Delaisi de Parseval, spécialiste de la famille, et favorable à une GPA éthique, ne l'est pas du tout au don d'embryons « sauf cas très particulier, entre membres d'une même famille » peut-être. Et encore ! Le risque d'inceste, le sentiment, réel ou fantasmé, d'adopter l'enfant d'un autre couple, ne lui semblent pas sains : « Il vaudrait bien mieux favoriser le double don, d'ovules et de sperme, mais la France l'interdit. Peut-être parce que nous avons un stock de 200 000 embryons à placer ! »

Même si Ron Stoddart prétend ne pas discriminer les adoptants sur des critères religieux, il s'adresse clairement aux parents hétérosexuels et mariés : sur son site, la petite Hannah, blondinette potelée de 12 ans et « premier bébé snowflake », explique, dans une vidéo où on la voit poser à la Maison-Blanche avec George W. Bush, qu'elle a été adoptée au stade de petite graine… Une donneuse témoigne également du bonheur qu'elle a eu à transmettre ses embryons : « Tous ces enfants appartiennent à Dieu, pas à moi. » Certaines vidéos sont carrément surréalistes : « Des embryons sont restés congelés quinze ans durant. Ils ont droit à une famille », martèle un médecin américain. Depuis 1997, 1 100 embryons ont été confiés au programme d'adoption Snowflakes… En 2015, Ron Stoddart revendiquait plus de 460 naissances, et son programme continue de se développer : il recrute désormais des clients dans le monde entier.

Sur le marché toujours mouvant de la reproduction, c'est ce qu'on appelle une niche. Il existe aujourd'hui huit agences spécialisées dans ce créneau aux États-Unis, et leur nombre ne cesse d'augmenter. Toutes ne sont pas chrétiennes. Certaines, comme Embryo Donation International, en Floride, ciblent les couples de lesbiennes et les femmes seules. Sans compter les groupes privés Facebook et les sites spécialisés comme Miracle.waiting.com où des parents se lancent individuellement à la recherche de la famille à laquelle ils vont « confier » leurs embryons avec des annonces du type : « Cherchons pour nos six flocons une famille aimante, vivant au grand air, pour qui la religion est importante. »

Mais tous ne sont pas bigots. Sur son blog, le jeune et sympathique comédien de stand-up Nathan Timmel a raconté pourquoi sa femme et lui ont finalement décidé de confier leurs embryons à l'adoption. Il est passé par une petite agence familiale « pour ne pas être trop dans une logique de business ». Aucune motivation religieuse, dit-il. Juste des années de galère et de traitements, trois transferts, et finalement, trois bébés. « On a eu de la chance. Il y a tant d'histoires horribles de couples qui s'épuisent et se ruinent d'échec en échec. Ma femme avait une bonne assurance santé, et on n'a eu qu'un seul échec. » Preuve selon lui que ses embryons étaient de bonne qualité ! Pourquoi confier à des inconnus ceux non utilisés ? « Ce n'est pas pour être généreux, ni pour avoir un bon karma. Ni parce que ce serait un meurtre de les détruire, un avortement ou je ne sais quoi, pas du tout. » C'est juste parce que « si on peut aider quelqu'un, il faut le faire ». Mais Nathan et sa femme veulent choisir les bénéficiaires. Elle pour ne pas se tourmenter en se demandant si ses embryons sont devenus des enfants, lui par peur de tomber sur eux par hasard au supermarché. Ou pire : que, à 20 ans, une idylle naisse entre eux et ses propres rejetons… Un risque sur mille ? C'est encore trop !

En consultant les fiches que lui fournit l'agence, le vertige commence… Comment choisir les parents de ses embryons ? Il le reconnaît, il n'a pas envie de les confier à une famille Groseille, pas plus qu'à d'horribles fondamentalistes religieux… « C'est comme Tinder. Tu regardes les profils et, le plus souvent, la première réaction, c'est non. Pas possible. » Et quand c'est oui, c'est bof. Trop vieux, trop jeunes, trop ci, trop ça… « On se sent moche, à les juger comme ça, juste parce qu'ils sont mal habillés, ou qu'ils ont une drôle de coupe de cheveux. » Mais quand même... Ces gens-là vont devenir les parents de leurs enfants ! C'est finalement une psychothérapeute qui va les aider à faire leur choix, en leur conseillant d'aller au plus simple : « Choisissez un couple qui vous ressemble. » Des trentenaires, amoureux et progressiste. « On n'a pas eu de demandes de couples homos, mais on aurait accepté. » Ils ont finalement opté pour un couple du Midwest, sympa, avec qui ils ont tout de suite eu un bon contact : « Même si, hélas, ils ne soutiennent pas la même équipe de football que nous, je crois que nos embryons ont finalement trouvé un bon foyer ».

En donnant leurs embryons, Nathan Timmel et sa femme n'ont rien payé. Mais ils n'ont rien gagné non plus. S'il en coûte en moyenne 6 000 à 9 000 dollars aux futurs parents, c'est l'agence qui les touche, pour prix de ses services : établir le contrat, organiser les contacts entre les deux familles, transférer des embryons congelés dans la clinique où sont traités les futurs parents... Même aux États-Unis, où le baby business bat son plein, personne n'a encore franchi le pas qui consisterait à acheter aux parents génétiques leurs embryons surnuméraires...

Sur ce marché de la reproduction, ces embryons « tout prêts », conçus pour une autre famille, restent le plus souvent des choix par défaut. Un : ils ont été conçus pour un autre couple. Impossible de ne pas penser à un produit d'occasion. Deux : il s'agit d'embryons « restants » d'un couple ayant des problèmes de fertilité. Pour multiplier les chances de succès, les médecins ont évidemment commencé par sélectionner les meilleurs. Le taux de réussite de ceux qui restent ne sera donc pas forcément aussi élevé qu'avec un embryon conçu ad hoc, résultant d'un double don, de sperme et d'ovocytes. Rares enfin, sont les parents qui sont prêts à balancer dans la nature ce qu'ils considèrent comme leur chair et leur sang, les frères et sœurs de leurs propres enfants… La demande est bien supérieure à l'offre, et les délais d'attente, très longs. Pour remédier à la pénurie, Ron Stoddart et ses concurrents sont d'ailleurs obligés de recruter des donneurs jusqu'en Irlande et en Nouvelle-Zélande…

Au milieu des années 2000, à San Antonio, au Texas, l'agence Abraham Center of Life s'est pourtant essayée à la vente pure et simple : affirmant que leurs méthodes révolutionnaires permettaient d'offrir des bébés plus facilement et à moindre coût, ils ont constitué une véritable banque d'embryons prêts à implanter, la première au monde, dont les clients pouvaient choisir les caractéristiques, avant de passer à l'achat : photos des donneurs de sperme et d'ovules à tous les âges, avec toute une batterie d'informations sur leurs caractéristiques, leur éducation, leur personnalité, et leur QI. Les donneurs devaient avoir suivi des études supérieures ; les donneuses, être jeunes, intelligentes et jolies. Tous devaient également indiquer leurs goûts artistiques, leurs livres préférés, et n'avoir aucun antécédent médical ou judiciaire. Après tout, puisqu'il était déjà possible de sélectionner une donneuse d'ovocytes ou un donneur de sperme sur ces mêmes bases, pourquoi pas un embryon ? En cas de besoin, l'agence proposait également, moyennant finances évidemment, les services d'une mère porteuse… Rejetant toute accusation d'eugénisme, Jennalee Ryan, la patronne de ce centre, affirmait ne pas créer d'embryons sur mesure pour ses clients, mais leur en proposer de « tout faits ». « Les clients les prennent ou ne les prennent pas, à eux de voir », répondait-elle à ses détracteurs. Elle s'engageait simplement à recourir à la meilleure matière première, car « personne n'a envie d'avoir un enfant moche ou stupide ». Grâce à son « approche révolutionnaire », elle promettait une qualité irréprochable, avec des prix très attractifs : 2 500 dollars l'embryon, 10 000 dollars avec l'implantation… Las ! Après avoir créé un premier stock de 22 embryons, et enregistré quelques grossesses, sa petite entreprise a périclité. En 2007, la Food and Drug Administration (FDA) a enquêté sur ses pratiques qualifiées de douteuses. Même si les résultats de cette investigation n'ont jamais été publiés, quelques mois plus tard, l'agence a fermé.

Mais l'idée a fait son chemin. En 2012, le Dr Ernest Zeringue, patron de la clinique California Conceptions, va même aller beaucoup plus loin. Pour 8 500 dollars, tout compris, il promet aux femmes stériles une grossesse réussie, avec une garantie totale, satisfaite ou remboursée. Une promesse irrésistible à un prix défiant toute concurrence. La plupart des femmes de moins de 55 ans sont acceptées dans le programme, pour peu qu'elles aient un utérus en bon état de fonctionnement. Comme dans l'adoption d'embryons, les bébés qu'elles porteront ne seront génétiquement pas les leurs, ni ceux de leurs maris. Mais son taux de réussite est de 95 %. Avec, pour plus de la moitié de ces grossesses, des jumeaux.

Voilà sa recette : la clinique achète en quantité des ovocytes et du sperme de donneurs « de qualité », avec des caractéristiques génétiques susceptibles de satisfaire le plus grand nombre – grands, minces, bien éduqués. Il les combine pour fabriquer des embryons en série, afin de baisser les coûts. Dans un programme classique, les futurs parents choisissent le matériel qui permet en quelque sorte de fabriquer leurs embryons sur mesure. Là, le médecin sélectionne lui-même sperme et ovocytes, fabrique des embryons en série et les utilise tous.

Résultat : pas de pertes, pas d'embryons surnuméraires à stocker. Certes, avec cette méthode, le client n'a pas le choix des « ingrédients ». Le médecin va essayer de faire peu ou prou correspondre les caractéristiques génétiques des embryons et des parents, en fonction de ce qu'il a en stock. En revanche, il s'engage à fournir des embryons de premier choix. La clinique y a tout intérêt : la patiente a droit à trois essais. Si elle ne parvient pas à une grossesse d'au moins 12 semaines d'aménorrhée, elle est remboursée…

Quand il a lancé son programme, en 2012, des questions se sont tout de même posées. Était-ce légal ? Éthique ? Ces « bébés Costco », comme les médias américains les ont appelés, du nom d'une célèbre chaîne de magasins vendant des produits en gros, ont suscité de nombreuses controverses… Des juristes américains et autres spécialistes de la reproduction se sont insurgés contre la dimension eugéniste d'un programme qui allait fabriquer des stocks d'enfants génétiquement liés entre eux en sélectionnant des donneurs plutôt grands, minces et athlétiques, susceptibles de correspondre à la demande du plus grand nombre. Sans oublier le risque, non négligeable, pour les enfants devenus adultes, de se marier avec leurs propres frères et sœurs : les futurs parents ne savent pas, en effet, quels couples bénéficieront d'embryons issus du même lot que le leur… Sur le site de la clinique, un forum permet aux parents de s'informer mutuellement sur les dates auxquelles les embryons ont été implantés, ou d'autres détails personnels. Mais tout de même, difficile de ne pas voir dans cette production d'embryons en série une nouvelle étape dans la marchandisation de la vie. Habitués à ces critiques, le Dr Zeringue les balaie d'un revers de la main. D'abord, il n'a jamais franchi les limites de la loi. Ensuite, pour ses patientes, c'est la solution de la dernière chance. Elles ont tout essayé avant d'atterrir chez lui. Elles n'ont plus de patience, plus d'argent… Et elles sont trop heureuses de mener enfin à bien cette grossesse si désirée. Son affaire est florissante. Il a d'ailleurs récemment augmenté ses tarifs de 8 500 à 12 500 dollars.

Le don d'embryons n'est pas l'apanage des Américains. De nombreux pays le pratiquent, et le proposent dans leurs centres de fertilité comme une option parmi d'autres. Une exception : l'Allemagne, où c'est totalement interdit. La loi proscrit purement et simplement la création d'embryons surnuméraires. Lors de la FIV, un petit nombre d'ovules sont fécondés en même temps, et ils sont tous implantés dans l'utérus de la mère. En France, Clara, le premier bébé né d'un don d'embryon, a vu le jour en 2004. Autorisé par la loi de bioéthique de 1996, cette pratique a commencé à se développer à partir des années 2000, même si, dans les faits, des dispositions législatives très strictes rendent sa mise en œuvre difficile. Il y aurait des dizaines de milliers d'embryons dans les cuves d'azote liquide des centres CECOS (Centre d'études et de conservation des œufs et du sperme), selon les dernières statistiques de l'Agence de biomédecine, mais tous ne sont pas « adoptables », loin de là. Rares sont les couples qui acceptent de donner les leurs, d'autant qu'ils n'auront aucune information sur leur destin. Ils ne choisissent pas les receveurs, ne savent pas s'ils ont été attribués ou non ni même s'ils ont donné lieu à une naissance.

9

Féministes contre féministes

Ce 2 février 2016, la petite salle au sous-sol de l'Assemblée nationale est comble. Les organisateurs de ces « Assises pour l'abolition universelle de la maternité de substitution » sont aux anges, tout surpris de leur propre succès. Le public, largement féminin, n'est pas tout jeune. Parmi les personnalités venues cautionner ce lobby anti-GPA, on repère le militant écolo José Bové, les députés socialistes Élisabeth Guigou et Benoît Hamon, la communiste Marie-George Buffet, et, bien sûr, la philosophe Sylviane Agacinski, passionaria anti-GPA de la première heure. Voilà des années que la compagne de l'ex-Premier ministre Lionel Jospin mène ce combat contre cette « forme d'esclavage moderne », qu'elle estime être « une tragique réification du corps humain ». Établissant un parallèle avec la prostitution à laquelle elle est farouchement opposée, cette figure de proue du féminisme en France refuse ce « droit à tout, tout de suite et à tout prix » qu'est selon elle le recours aux mères porteuses.

Organisées à l'initiative de la députée PS Laurence Dumont, ces assises rassemblent le ban et l'arrière-ban des opposants historiques à la gestation pour autrui sous toutes ses formes. Particularité : tous sont de gauche. Parmi les intervenants, deux associations féministes radicales, la Coordination des associations pour le droit à l'avortement (CADAC) et la Coordination lesbienne en France (CLF). Le CORP (Collectif pour le respect de la personne), qui rassemble universitaires et médecins autour de Sylviane Agacinski, est évidemment en bonne place. On est loin de l'ambiance « tradi » des participants à la Manif pour tous qui ont défilé dans les rues de Paris contre le mariage gay. Même si les arguments, eux, ne sont finalement pas si différents : refus de la marchandisation et de l'asservissement du corps féminin, désacralisation de la maternité, exploitation des pauvres par les riches, violation de la dignité humaine… À la tribune, ils ne mâchent pas leurs mots : médecins, journalistes, chercheurs, venus de Suisse, d'Autriche, de Suède ou de Grande-Bretagne, se réclamant tous des « forces progressistes », dénoncent « la plus forte violence faite aux femmes depuis la fin de l'esclavage », selon Sylviane Agacinski ; « un trafic de chair humaine », pour la politologue et journaliste suisse Regula Stämpfli ; « la petite sœur de la prostitution », selon Kajsa Ekis Ekman. Cette journaliste suédoise est affolée de voir son pays envisager de légitimer une forme de « GPA éthique », ce faux nez de l'esclavage moderne qui ne ferait, selon Geneviève Azam, économiste du mouvement altermondialiste Attac, que « fixer des règles de marché » à la procréation. Dénonçant un « nouveau néocolonialisme », tous dressent un tableau apocalyptique de cette « insupportable marchandisation du corps » et exigent, carrément, une abolition totale, partout dans le monde, de la maternité de substitution… Même le Pr René Frydman, le père de l'obstétrique moderne, considère que la GPA doit impérativement être bannie, quelles que soient les raisons et les conditions auxquelles elle est pratiquée… Eh bien !

En France, la gestation pour autrui est formellement interdite depuis la loi de bioéthique de 1994, qui précise que « toute convention portant sur la procréation ou la gestation pour le compte d'autrui est nulle », une décision prise dans un certain consensus gauche-droite à l'époque. Selon les associations, il y aurait environ deux mille enfants nés par GPA en France, toujours en attente d'être reconnus. Le plus âgé aurait une trentaine d'années, les plus jeunes sont en cours de conception. Deux cents couples tout au plus, homos et hétéros, traverseraient les frontières chaque année pour faire appel à des mères porteuses. Sur les mille à mille cinq cents enfants qui naîtraient de mères porteuses chaque année aux États-Unis, 10 % environ auraient des parents français. C'est peu, par rapport aux 800 000 naissances annuelles. Mais assez pour déchaîner toutes les passions.

La GPA a été récemment légalisée en Grèce sous certaines conditions, elle est tolérée en Belgique, aux Pays-Bas et au Royaume-Uni, à condition que les mères porteuses ne soient pas rémunérées. Dans les autres pays européens, c'est non. Mais nulle part le débat n'est aussi crispé, aussi violent, qu'en France ! Il transcende les partis et les courants, rassemblant dans le même camp des opposants, des féministes de gauche, des associations lesbiennes, les troupes de la Manif pour tous, et des militants *pro-life* comme Alliance Vita... Même les mouvements de défense des droits des homosexuels se déchirent ! En novembre 2013, la CLF a ainsi claqué la porte de l'Inter-LGTB, provoquant un véritable « schisme » selon sa coprésidente, Jocelyne Fildard. Également opposée à la vente d'ovocytes, « qui ne s'inscrit pas dans la liberté de son corps », la militante féministe dénonce « au sein de l'Inter-LGBT, certaines associations adhérentes, certes non majoritaires mais très actives, qui militent avec beaucoup d'ardeur en faveur de la GPA ».

Mais c'est entre les féministes que les dissensions sont les plus vives, les positions les plus clivées.

D'un côté, Sylviane Agacinski. De l'autre, Élisabeth Badinter. Deux intellectuelles de gauche de premier plan. Elles appartiennent à la même génération, à la même famille politique. Héritières de Simone de Beauvoir, agrégées de philosophie, elles ont l'une et l'autre consacré leur vie aux droits des femmes. Tout devrait les rapprocher. Mais c'est la guerre. Elles s'étaient déjà affrontées sur le sujet de la prostitution. La GPA a achevé de les brouiller. Rien d'étonnant : les deux thèmes, au fond, sont profondément liés, l'un et l'autre reposent pour l'essentiel sur la liberté des femmes à disposer de leur corps. « Attention, je ne suis pas pour une GPA à n'importe quelles conditions », insiste Élisabeth Badinter, qui défend une pratique éthique, non rémunérée et juridiquement encadrée. Résolument laïque, la philosophe dénonce, derrière la virulence des opposants, « une certaine conception idéalisée de la nature et des lois divines », qui font, selon elle, leur grand retour dans le débat depuis quinze ans. L'auteur de l'essai sur *Le Conflit. La femme et la mère*[1], qui dénonçait le mythe de l'instinct maternel et la dictature de l'allaitement, n'a jamais eu peur de prendre des risques : « Non, ce n'est pas forcément un arrachement d'enlever le bébé des entrailles de la mère porteuse. Non, ce n'est pas une atteinte

1. Élisabeth Badinter, *Le Conflit. La femme et la mère*, Paris, Flammarion, 2010.

épouvantable à son intégrité. On ne devient pas mère le jour de l'accouchement. L'amour maternel n'est pas inné, il se construit. »

Pour Sylviane Agacinski, c'est le contraire. Les positions de l'auteur du *Corps en miettes*[1], qui n'a pas pu nous rencontrer, sont connues. Selon elle, c'est la conception qui détermine l'identité de l'individu. La GPA bafoue les lois de la nature, faisant de l'enfant un « produit fabriqué » sujet aux névroses, contrairement à l'individu issu de l'acte sexuel, qui serait, lui, un enfant véritable... Et n'allez pas lui parler de GPA éthique ou altruiste : une « rhétorique sentimentale », selon elle, qui ne viserait qu'à édulcorer la réalité. « On parle de don, alors qu'on est dans un baby business mondial, et on en appelle, comme toujours, à la générosité féminine... On crée un langage mystificateur pour masquer la réalité. On parle de "gestation" pour faire croire qu'une grossesse peut être un moyen de production ou une fonction utilitaire, et on ajoute "pour autrui" pour faire de ce "service" un acte généreux. La formule aseptisée "GPA" est faite pour nous rassurer[2]. »

Impossible aujourd'hui de faire débattre les deux femmes ensemble. Ni même, à en croire un

1. Sylviane Agacinski, *Corps en miettes*, Paris, Flammarion, 2013.
2. Sylviane Agacinski, « Jamais la technique n'oubliera le désir », *Elle*, 28 octobre 2013.

obstétricien qui les connaît bien, de les réunir dans une même pièce ! Cet éminent spécialiste se souvient encore d'un dîner très chic, rassemblant sommités médicales, intellectuels, et quelques personnalités politiques. « Tout s'est très bien passé jusqu'au moment où la conversation a roulé sur la GPA. Ça a viré au tournoi médiéval, se souvient le médecin, étonné de cette foire d'empoigne pour un sujet qui ne concerne que quelques cas par an... À croire qu'en France, il est impossible d'aborder ce sujet sereinement. » C'est le moins que l'on puisse dire.

Ça n'a pourtant pas toujours été le cas. La France découvre le sujet au milieu des années 1980, lorsque le magazine *Parents* publie en une la photo de « la première mère porteuse française officielle ». Un scoop ! « Patricia », comme vont la baptiser les médias, est une jeune femme de 21 ans, mariée et mère d'un petit garçon de 18 mois. Dans cette interview exclusive, elle expliquait ses motivations et ses inquiétudes, reconnaissait avoir reçu 50 000 francs pour porter l'enfant d'un couple endeuillé qui avait perdu son fils unique, et dont la femme était devenue stérile après sa première grossesse. À l'époque, la FIV avec donneuse d'ovocytes est encore rare. Les mères porteuses n'ont d'autre choix que de porter un enfant qui est génétiquement le leur. Patricia a été inséminée avec le sperme du père. Elle raconte son bonheur d'être enceinte, son sentiment de plénitude. Gaëlle Guernalec-Levy, une journaliste du blog Enfances en France l'a retrouvée trente ans plus tard : elle n'a jamais revu le bébé, mais garde le souvenir d'une grossesse « géniale », d'une aventure « ultra-gratifiante », et ne regrette rien, au contraire. Le médecin qui a organisé cette première GPA s'appelle le Dr Sacha Geller. Brillant, provocateur, controversé aussi, cet obstétricien marseillais se bat pour légaliser le principe de la procréation pour autrui. Au sein du Centre d'exploration fonctionnelle et d'études de la reproduction (CEFER) de Marseille, le gynécologue plaide pour une reconnaissance officielle de ce service qui requiert selon lui une compensation financière. Le médecin avait déjà fait scandale en organisant une banque de sperme privée, rémunérant les donneurs, et concurrençant le CECOS avec des délais d'attente bien inférieurs. En 1983, bien avant l'interdiction de la GPA en France, il avait également créé une structure permettant de mettre en contact les futurs parents et les candidates, fixant la rémunération à 5 000 francs par mois durant neuf mois, plus 5 000 francs pour l'accouchement. Plus qu'un bon SMIC de l'époque. C'est la première agence de GPA française directement inspirée du modèle américain. Mais, contrairement à ce qui se passe aux États-Unis, où, dans l'immense majorité des cas, la mère porteuse n'a aucun droit sur l'enfant à naître, le Dr Geller prévoit une possibilité de rétractation pour la mère porteuse qui souhaiterait *in fine* garder l'enfant. La mère accouche sous X, l'enfant est reconnu par le père, puis, dans un second temps, adopté par la mère. Conforme au droit, cette pratique n'est cependant pas du goût des juges qui vont tout faire pour invalider la procédure. Le conseil de l'ordre des médecins dénonce ce « découpage » de la fonction maternelle. Le Comité national d'éthique s'insurge contre les prêts d'utérus au nom de la morale et de la loi. Les oppositions ne manquent pas. Parmi les rares défenseurs, Robert Badinter, alors ministre de la Justice de François Mitterrand, se fera, trente ans avant sa femme, l'avocat de cette pratique qu'il assimile à une « adoption par anticipation ». Il ne sera pas suivi. En 1989, à la demande de la Cour de cassation, Alma Mater, première agence de mères porteuses, est fermée.

À l'époque déjà, dans un dossier du magazine féminin *Elle* datant du 4 février 1985 et consacré à « La maternité face à la science », les féministes sont partagées. Gisèle Halimi, présidente du mouvement Choisir la cause des femmes, est farouchement opposée à la « location d'utérus », qu'elle assimile à un abandon d'enfant, mais l'écrivain Benoîte Groult y voit au contraire une « histoire d'amour ». Yvette Roudy, ministre des Droits des femmes de l'époque, laisse la porte ouverte au débat. De son côté, la pionnière de la condition féminine, Antoinette Fouque, défend le principe d'une gestation pour autrui gratuite et encadrée. « Je vois la gestation pour autrui comme une évolution positive parce qu'elle met en évidence la fonction et la création utérines, œuvre de chair et de sens. La gestatrice ne doit pas être effacée ni son don banalisé. Avec la GPA, l'enfant peut avoir deux mères, voire trois. Il peut y avoir un parent de plus et non pas une gestation en moins. Il est fort probable que la procréation médicalement assistée pour les couples lesbiens sera légalisée bien avant la gestation pour autrui pour les hommes. Je ne vois pas pourquoi un couple d'hommes n'aurait pas le droit de faire appel au don d'une femme pour faire un enfant. Je regrette que, chez nous, la vie prénatale soit si peu prise en compte, contrairement à ce qu'il se passe dans la civilisation chinoise, où on fête l'anniversaire de la procréation et non celui de la naissance. La GPA pour des couples homosexuels nous permettrait de ne pas tomber dans le mythe ancestral d'un monde où il serait possible de faire un enfant en se passant des femmes. » L'approche de l'Américaine Kate Millett et du Women's Lib est globalement celle qui prévaut outre-Atlantique aujourd'hui : « Les femmes sont libres. Libres d'être mères porteuses. Louer ou donner son corps pour le plaisir sexuel ou pour la reproduction semble être un droit acquis de la femme. »

Malgré les divergences entre ces femmes, quelle différence avec les empoignades et les invectives des années 2010 : « C'était une autre époque, plus tolérante. On était plus près de l'esprit de 1968 », constate Élisabeth Badinter. Ethnologue, chercheuse en sciences humaines, Geneviève Delaisi de Parseval, psychanalyste, se souvient encore de la première patiente, au début des années 1980, qui l'a amenée à reconsidérer sa position sur la GPA. Des traitements de chimiothérapie l'avaient rendue stérile. En rémission, elle lui parle de sa décision de traverser l'Atlantique pour faire appel à une mère porteuse. « Face à cette femme formidable, à sa douleur d'être stérile, à sa détermination à avoir un enfant, cette pratique qui me semblait jusque-là très lointaine, et pour tout dire un peu folle, m'est soudain apparue comme une évidence », se souvient la psychanalyste. À l'époque, Amandine, le premier bébé-éprouvette français, venait de naître. « La maternité était *de facto* scindée en deux. Pourquoi ne pas accepter cette division entre la fonction gestatrice et la fonction maternelle ? » Comme Élisabeth Badinter, cette spécialiste des questions de bioéthique et de parentalité qui a depuis écrit plusieurs ouvrages sur la question défend une GPA éthique, mais, contrairement à la plupart des féministes de « son camp », elle ne s'arcboute pas sur la question de la gratuité. « Pourquoi ce qui est gratuit serait-il plus éthique ? » Que des femmes puissent être indemnisées pour mener à terme cette grossesse n'a selon elle rien de choquant, dès lors que deux principes sont respectés. Un : l'intérêt de l'enfant – « Il faut que les parents puissent lui raconter, plus tard, une histoire qui ait du sens. Ce n'est pas le don, mais le secret et l'anonymat qui pourrissent une relation. » Deux : le respect dû à la mère porteuse – « On ne peut se contenter de considérer la mère porteuse comme un simple véhicule, un moyen de transport, ni même une nounou, comme on le dit parfois. Elle doit être respectée. » Il faut en outre, selon elle, reconnaître la légitimité du désir d'enfant, même au-delà de l'horloge biologique. « Ne vous posez pas en juge, insiste-t-elle. Pourquoi des parents de cinquante ans seraient-ils de mauvais parents ? Il faut pouvoir agir au cas par cas. »

Là où ses détracteurs refusent la GPA au nom de grands principes idéologiques, le petit camp des partisans appelle à faire preuve de pragmatisme. Aucun n'appelle à une libéralisation inconditionnelle de cette pratique. Comme de nombreux spécialistes de la fertilité, quotidiennement confrontés à la douleur des femmes stériles, le gynécologue François Olivennes, lui, appelle simplement à faire preuve d'empathie : que dire à une femme née sans utérus, aux enfants du Distilbène, aux grandes cardiaques, pour lesquelles il n'existe aucune solution ? « Il faut prendre en compte la douleur de ces femmes pour lesquelles il n'existe aucune alternative à la parentalité. Faut-il les priver à jamais de ce bonheur ? » « Pourquoi ne pas faire confiance à des comités d'éthique médicale pour examiner au cas par cas les demandes ? » suggère Geneviève Delaisi de Parseval. « Une femme doit pouvoir porter l'enfant d'amis proches, d'une sœur », avance la sociologue spécialiste de la famille Irène Théry. Après tout, la pratique qui consiste à faire élever son enfant par une autre femme, à le confier à sa petite sœur, à une cousine, au fond, est, dans bien des civilisations, d'une extrême banalité : « Des mères prennent le relais d'autres mères, cela a toujours existé, et cela n'a rien de monstrueux. » En effet. Dans le secret des cabinets médicaux, tous les gynécologues ont affaire à des cas d'arrangements clandestins entre un couple et une mère porteuse. Une interdiction pure et simple à toutes chances d'amplifier des pratiques clandestines vieilles comme le monde. Le premier cas n'est-il pas recensé dans la Bible ? Dans la Genèse, Sara, la femme d'Abraham, demande à sa servante de porter son enfant car elle est stérile. Ce serait même l'épisode sur lequel se sont fondés les législateurs pour autoriser la GPA en Israël, en 1996. L'assemblée rabbinique les a convaincus que la gestation pour autrui était conforme à la Halaka, la partie législative du Talmud. Aujourd'hui encore à Tel Aviv, un comité des sages, comprenant un médecin, un psychologue, un juriste, un représentant religieux et un assistant social statue, au cas par cas, sur le sujet, et la pratique est entrée dans les mœurs.

Aujourd'hui vent debout contre la GPA, la droite n'a pas toujours été hostile aux mères porteuses. Il y a quelques années, elle faisait même quelques pas en faveur d'une légalisation. Selon plusieurs sondages, l'opinion publique y était alors plutôt favorable. En 2008, dans la perspective d'une révision des lois de bioéthique, une commission mixte du Sénat préconisait carrément une légalisation de la GPA : évoquant justement une pratique « vieille comme le monde », les sénateurs Alain Milon (UMP), Henri de Richemont (UMP) et Michèle André (PS) regrettaient publiquement que des Français soient obligés de se rendre à l'étranger pour parvenir à leurs fins, et recommandaient un encadrement de la GPA, plutôt que son interdiction. Dans la foulée, Nadine Morano s'était déclarée carrément prête, dans une interview pour *Le Parisien*, à porter l'enfant de sa fille, un « acte d'amour », selon elle. C'est dire.

Les partisans de la GPA ont récemment tenté une percée du côté du Conseil de l'Europe. En mars 2016, la sénatrice belge Petra de Sutter, spécialiste des problèmes de fertilité, est nommée rapporteur d'un projet de résolution dans lequel elle recommandait d'autoriser la gestation pour autrui « altruiste », c'est-à-dire sans contrepartie financière, afin de permettre à une femme, par exemple, de porter l'enfant de sa sœur stérile. Ce médecin transgenre, qui dirige le centre de médecine reproductive de l'hôpital de Gand, est la bête noire des contempteurs de la GPA. Ses positions sont pourtant loin d'être radicales : opposée à la GPA commerciale, cette gynécologue proposait même d'établir un cadre international sur la question afin d'interdire le tourisme procréatif. « Les gens qui veulent interdire toute forme de GPA ont des raisons idéologiques. Pourtant, la GPA, ce n'est pas blanc ou noir », plaide-t-elle dans son compte rendu. Ce rapport sera rejeté, par 16 voix contre 14 au grand bonheur d'une partie du camp féministe et des conservateurs : « C'est une victoire de peu. Le combat n'est pas terminé ! » a réagi la députée PS et militante féministe Anne-Yvonne Le Dain.

L'opinion publique a beau évoluer, se montrant au fil des sondages de plus en plus ouverte sur cette question, jusqu'à présent, sur le plan juridique, le camp des opposants, de droite comme de gauche, a réussi à l'emporter. En mars 2009, l'Académie nationale de médecine, qui conseille le gouvernement sur les questions éthiques, les a confortés : elle considère qu'« au titre de sa mission médicale, elle ne peut être favorable à la GPA ». Mandaté par François Fillon, alors Premier ministre, le Conseil d'État enfonce le clou : la GPA « laisse place à l'idée que l'enfant à naître est, au moins pour partie, assimilable à un objet de transaction ». Première petite ouverture juridique en revanche, « afin d'assurer une certaine sécurité de la filiation » aux enfants, il recommande de reconnaître la paternité du père et une délégation d'autorité parentale à la mère… Non au recours aux mères porteuses. Mais oui à la légalisation des enfants.

En janvier 2013, la ministre de la Justice Christiane Taubira, en plein débat sur les enfants nés de mariages homosexuels, va courageusement prendre position dans le même sens. Son texte stipule que les parents d'enfants nés par « procréation ou gestation pour le compte d'autrui » à l'étranger ne pourront plus désormais se voir interdire la délivrance de certificats de nationalité française au prétexte que leurs enfants ont été conçus grâce à ces méthodes. Soulagement des associations de familles homoparentales (ADFH) qui saluent une initiative ayant « su prendre en compte la réalité de ces situations d'enfants en errance administrative ». Tollé général de la droite, qui dénonce un scandaleux « appel d'air » en faveur de la GPA, de l'homoparentalité et de la marchandisation de l'enfant. Christiane Taubira ne cédera pas.

Cette première avancée doit beaucoup aux époux Mennesson, infatigables militants de la reconnaissance d'une « GPA éthique ». La ténacité de ce couple du Val-de-Marne qui a fait de la reconnaissance de ses jumelles le combat de sa vie, a fini par payer. Malgré eux, ils sont devenus le symbole et les porte-parole de la GPA en France. « À la base, ni ma femme ni moi-même n'étions militants, mais, en prenant conscience du caractère totalement irrationnel du traitement de ces questions, nous le sommes devenus, contraints et forcés », explique Dominique Mennesson. Leur histoire est emblématique de la situation kafkaïenne dans laquelle sont plongées les familles passées par la GPA. Selon le certificat prénatal établi en 2000 par la cour suprême de Californie, ils sont bien « père et mère » de leurs jumelles. Impossible pour autant de faire transcrire ces actes à l'état civil français ni d'obtenir la reconnaissance de leur filiation. En 2011, déboutés après une série de jugements, ils portent l'affaire devant la Cour européenne des droits de l'homme. Et ils gagnent. Le 24 juin 2014, la France est condamnée, la Cour estimant que les Mennesson s'occupaient de leurs jumelles « comme des parents depuis leur naissance, et tous quatre vivent ensemble d'une manière qui ne se distingue en rien de la vie familiale dans son acception habituelle ». Rappelant que le droit à l'identité « fait partie intégrante de la notion de vie privée et qu'il y a une relation directe entre la vie privée des enfants nés d'une gestation pour autrui et la détermination juridique de leur filiation », elle enjoint les autorités à légiférer au nom des « intérêts supérieurs de l'enfant » et à leur accorder la nationalité française. La France est également condamnée à verser 5 000 euros à chacune des jumelles et

15 000 euros pour les frais de justice. C'est l'arrêt Mennesson.

Champagne ? Pas du tout. Un an plus tard, le gouvernement n'a toujours donné aucune instruction pour faciliter les transcriptions. Au contraire. Le ministère des Affaires étrangères continue discrètement d'inviter les consulats français à le refuser, en cas de soupçon. Les Mennesson vont devoir assigner le procureur adjoint de Nantes pour que la décision de la CEDH soit exécutée. Le 23 août 2015, après quinze ans d'un épuisant marathon judiciaire, ils obtiennent enfin transcription partielle des actes de naissance de leurs filles. Même si la mère, elle, n'est toujours pas reconnue comme telle, la justice française ne reconnaissant que la femme qui accouche, donc la mère porteuse. Plusieurs centaines de familles sont toujours dans l'impasse. Les tribunaux tranchent au cas par cas, selon la configuration familiale...

Pourquoi une telle mauvaise volonté politique et administrative ? Échaudé par le psychodrame national dans lequel l'a entraîné la loi sur le mariage pour tous, François Hollande n'a aucune envie d'ouvrir à nouveau cette boîte de Pandore. Les opposants à l'homoparentalité sont déchaînés. Le sujet reste ultra-sensible. Le gouvernement redoute non seulement de réveiller les ardeurs des Manif pour tous, mais aussi la fronde des « anti »-GPA de son propre camp. Manuel Valls est contre toute légitimation des mères porteuses et ne manque jamais de le rappeler. Comme une bonne partie du PS, Catherine Tasca, socialiste et opposante de la première heure à la tête d'une mission sénatoriale, proposait encore début 2016 d'engager des négociations internationales afin d'obtenir des pays pratiquant la GPA qu'ils l'interdisent aux ressortissants français. D'autres demandent carrément une interdiction mondiale. Bien peu réaliste, mais qu'importe ! En juillet 2016, la France était de nouveau condamnée par la Cour européenne des droits de l'homme pour avoir refusé de transcrire les actes de naissance d'enfants nés en Inde, estimant qu'elle pouvait toujours interdire la GPA sur son sol, mais pas refuser de reconnaître les enfants nés d'une mère porteuse à l'étranger. Le feuilleton continue.

10

Demain ?

Imaginez un monde où la grossesse sera devenue obsolète. Un monde où des incubateurs permettront la gestation complète d'un embryon, de la fécondation à la naissance. Où les parents pourront concevoir leurs futurs enfants sur mesure, en se procurant les meilleurs ingrédients nécessaires à leur fabrication. Plus de problèmes de fertilité, plus besoin de mères porteuses, pas de bébés « défectueux »... Un délire d'auteur de science-fiction ? Pas forcément. Dans le secret des labos, la révolution de la procréation est en marche. En mai 2016, une équipe conjointe de chercheurs de l'université Rockefeller à New York et de l'université de Cambridge, en Grande-Bretagne, réussissait la prouesse de conserver *in vitro* des embryons humains durant près de quatorze jours, pulvérisant le record précédent, qui était de neuf jours. Cette performance, qui a immédiatement donné lieu à une publication dans la revue *Nature*, a mis toute la communauté scientifique en émoi. D'autant que les chercheurs ont expliqué qu'ils auraient pu prolonger l'expérience au-delà si une vieille loi américaine de 1979, qui interdit toute manipulation d'embryon au-delà de cette limite, ne les avait pas obligés à stopper l'expérience. Ils ont bien sûr profité de l'occasion pour demander aux autorités de bioéthique de repousser ce seuil pour permettre à la science de continuer à avancer... On n'est plus très loin du *Meilleur des mondes*, le célèbre roman d'anticipation d'Aldous Huxley.

Greffes d'utérus, diagnostics préimplantatoires, tests génétiques de plus en plus poussés... Jusqu'où ira la médicalisation de la procréation ? Les avancées dans la lutte contre l'infertilité et les maladies génétiques rendent espoir à des milliers de parents. Ils entraînent aussi la science dans une spirale vertigineuse. L'enfant « à trois parents biologiques » est déjà né. En février 2015, le Parlement britannique a en effet autorisé un projet d'assistance médicale à la procréation pour prévenir un risque de maladie génétique : il consistait à transférer une partie de l'œuf provenant de l'ovocyte d'une mère contenant en son noyau une mutation génétique inséminée par le donneur, dans l'œuf d'une donneuse saine, inséminée par le même donneur. L'enfant sera donc porteur de trois ADN différents. Une première, qui sera sans aucun doute suivie de nombreuses autres.

L'horloge biologique est déjà en passe d'être suspendue. Pas seulement grâce au don d'ovocytes. Des centres de pointe de traitement de la stérilité savent désormais établir avec précision un diagnostic de fertilité en amont, avant même qu'un problème ne se pose, afin que les femmes puissent programmer une FIV sans perdre de temps à essayer d'avoir un enfant naturellement ou faire congeler précocement leurs ovocytes. Les techniques de vitrification se sont considérablement améliorées, donnant aux œufs ainsi conservés un potentiel reproductif identique voire supérieur à celui d'ovocytes frais. Dans un avenir proche, congeler ses œufs à vingt ans, au moment où ils sont à leur maximum de fertilité, en prévision d'une grossesse future, sera peut-être un acte banal, recommandé même par les médecins au nom du principe de précaution. En France, cette option est encore réservée aux jeunes femmes qui doivent subir un traitement mettant leur fertilité en péril. Mais, aux États-Unis, des sociétés comme Facebook, Microsoft ou Apple la proposent déjà à leurs jeunes salariées en âge de procréer afin qu'une grossesse ne vienne pas ralentir leur carrière…

La parentalité est de moins en moins biologique. D'ici vingt-cinq ans, prévoient les experts, elle sera même totalement déconnectée de la sexualité ! D'ici là, il n'y aura peut-être même plus besoin d'un homme et d'une femme pour créer un enfant : en décembre 2014, une équipe de chercheurs britanniques et israéliens a réussi à créer des cellules pré-reproductives mâles et femelles à partir de cellules de la peau. Si cette technologie, encore au stade expérimental chez des souris, portait ses fruits, elle rendrait les dons de sperme et d'ovocytes inutiles, un tournant sans précédent dans la lutte contre l'infertilité. Elle permettrait aussi à deux pères de créer un embryon ensemble. Et quand l'utérus artificiel sera au point, plus besoin de femme du tout !

En vingt ans, les progrès conjugués de la néonatalogie, de la génétique et de la procréation médicalement assistée ont totalement bouleversé les lois de la reproduction. Les avancées scientifiques repoussent chaque jour plus loin les frontières du possible et des lois naturelles. La barrière placentaire n'est plus une muraille de Chine infranchissable. Les chirurgiens sont désormais en mesure d'opérer des fœtus *in utero*. La période indispensable à la survie d'un embryon dans le ventre de sa mère ne cesse de se réduire. Aux deux bouts de la période de gestation, la technique gagne du terrain sur l'utérus. D'un côté, on sait maintenant créer et faire grandir des embryons *in vitro* durant deux semaines, et sans doute plus longtemps. De l'autre, des couveuses sont capables de prendre en charge des prématurés pesant moins de 500 grammes, à 24 semaines... Ne reste plus qu'à mettre au point la machine qui permettra de faire le lien entre les deux. Après une fécondation *in vitro*, les embryons seraient alors plongés dans des utérus artificiels emplis d'un liquide amniotique de synthèse, reliés à des machines placentaires qui leur fourniraient pendant neuf mois hormones et nutriments indispensables à leur développement... Plus besoin de mères porteuses ! Certes, cette technique futuriste sera dans un premier temps réservée aux cas médicaux, mais rien n'interdit de penser qu'elle devienne un jour un instrument de libération des femmes...

Certes, on n'en est pas encore là. La cuve qui permettra de faire croître un embryon de la conception à la naissance ne sera pas au point, selon les experts, avant une bonne cinquantaine d'années, voire un siècle. Les fonctions d'un placenta et les échanges mères-enfants sont terriblement complexes, bien plus difficiles à imiter que les chercheurs ne le pensaient initialement.

Mais, en attendant, la greffe d'utérus, toujours interdite en France, est déjà une option possible dans de nombreux pays. En 2013, une équipe médicale de Göteborg, en Suède, a ainsi permis à une patiente de donner naissance à un enfant, le premier bébé né grâce à un utérus implanté, et les essais se multiplient désormais un peu partout dans le monde. En 2015, une autre Suédoise a donné naissance à un petit garçon grâce à la transplantation de l'appareil reproductif de sa propre mère vivante. Son fils est né dans la matrice où elle-même s'était développée. Vertigineuse mise en abyme. Là encore, les complications et les rejets freinent la généralisation de ces greffes. Elles ne permettront pas de remplacer les mères porteuses avant plusieurs années. Mais bientôt ? Pour des milliers de femmes, l'espoir est immense. Selon certains chercheurs californiens, ces greffes dans un premier temps réservées aux femmes stériles pourraient même un jour permettre, d'ici une quinzaine d'années, à des hommes, transgenre par exemple, de connaître l'expérience de la grossesse...

Rappelez-vous. Il y a quarante ans, il n'y avait qu'une manière de fabriquer un enfant : un homme avait des relations sexuelles avec une femme. Par chance, un spermatozoïde rencontrait un ovule, quelquefois l'œuf se développait en embryon, puis en fœtus, avant de donner lieu, au bout de neuf mois, si tout se passait bien, à un bébé. La femme enceinte était la mère. Point. Avec la banalisation des FIV, les mères porteuses, l'augmentation des dons d'ovocytes, de sperme, d'embryons, ce stéréotype a volé en éclats. La maternité est devenue un Meccano de plusieurs pièces que l'on peut dissocier et assembler comme on veut. Une femme peut porter un enfant qui n'est pas le sien, ou, au contraire, faire porter son bébé génétique par une autre, ou encore être la mère d'un enfant qu'elle n'aura ni porté ni conçu si elle a fait appel à une donneuse d'ovocytes et à une mère porteuse. Et qui n'aura pas plus de lien physiologique avec son mari, si elle est passée par un double don, de sperme et d'ovule. Elle peut aussi porter des jumeaux qui ne sont pas les siens et qui ont deux pères différents. Tous les cas de figure sont possibles. Aujourd'hui, c'est l'amour qui fait l'enfant, et de moins en moins la nature !

De son côté, l'enfant a changé. Hier, les parents n'avaient pas le choix. Le bébé était là, plus ou moins bien doté, avec son capital génétique et ses imperfections. Quelquefois, il naissait malade ou handicapé, et il fallait « faire avec », comme on disait. La faute à pas de chance, à Dieu ou au destin. Grâce au diagnostic prénatal, mais surtout au diagnostic préimplantatoire, il est possible d'échapper à cette cruelle loterie… De sélectionner les meilleurs gamètes. De trier avec précision les embryons, pour ne garder que les meilleurs. Les classe A comme on dit dans les labos.

Avec le premier diagnostic préimplantatoire (DPI) en 1990, la conception s'est résolument dégagée des contingences du hasard. Cet examen pratiqué *in vitro*, avant l'implantation dans l'utérus, permet de détecter un nombre croissant d'anomalies génétiques. Il permet à la fois de sélectionner au milieu d'une colonie d'embryons ceux qui s'accrocheront le mieux, et d'éliminer ceux qui sont porteurs d'altérations telles que la trisomie 18 ou 21, épargnant à la mère le traumatisme de l'amniocentèse et d'une éventuelle IVG. Grâce au séquençage ADN, il permet également de détecter un nombre croissant de maladies génétiques : hémophilie, amyotrophie, dystrophie musculaire, mucoviscidose… Près de soixante-dix pathologies génétiquement transmissibles peuvent déjà être dépistées. Pour les parents d'enfants malades, c'est la technologie de tous les espoirs. La possibilité non seulement d'avoir un enfant en bonne santé, mais aussi de concevoir des « enfants médicaments », dits « double espoir » susceptibles de se faire ponctionner de la moelle osseuse, ou de fournir des cellules souches à un membre de la fratrie malade d'une leucémie, par exemple.

Cette révolution soulève évidemment aussi des questions éthiques essentielles. D'un côté, l'aide médicalement assistée permet d'augmenter les stocks d'embryons disponibles. De l'autre, le diagnostic préimplantatoire permet de les trier… Quelle distance sépare la sélection de l'eugénisme ?

Autorisé au compte-gouttes en France depuis 1994, cinq ans après les États-Unis, le DPI est très sévèrement encadré. Valentin, le premier bébé né d'une sélection embryonnaire, n'est né qu'en 2000. Réservé aux parents ayant des antécédents de maladies génétiques mortelles ou aux femmes ayant subi des fausses couches à répétition, il fait l'objet de réunions pluridisciplinaires d'experts qui doivent donner leur accord, au cas par cas. Il faut que le facteur de risque majeur, vital, et susceptible de toucher l'enfant dans les toutes premières années de sa vie, soit reconnu chez l'un des membres au moins. Ainsi la présence dans une famille des gènes BRCA1 ou BRCA2, identifiés comme étant responsables de certains cancers génétiques du sein, celui-là même qui a conduit en 2012 l'actrice Angelina Jolie à opter pour une double mastectomie préventive, ne sera pas dépistée.

Ce diagnostic préimplantatoire, qui a profondément bouleversé la science de la reproduction, divise les chercheurs. Le Pr René Frydman, le père du bébé-éprouvette, en est un fervent avocat : voilà des années qu'il se bat pour augmenter les moyens alloués à cette technique, efficace et fiable, qui permet d'améliorer le taux de réussite des FIV en « éliminant les embryons mal fichus ». Elle reste selon lui la meilleure alternative au traumatisme d'un avortement thérapeutique et un formidable espoir pour des parents d'enfants gravement malades. Alors que la France accepte l'avortement thérapeutique jusqu'au huitième mois en cas d'anomalie grave du fœtus, quelle logique y a-t-il à sanctifier ainsi un embryon de quelques jours ? Avec seulement quatre centres de dépistage dans toute la France, un dispositif bien inférieur aux besoins, très en retard sur le reste du monde, les délais pour pouvoir bénéficier d'un diagnostic sont de quinze à trente mois… Beaucoup trop long selon le professeur.

L'autre père du bébé-éprouvette, le Pr Testart, qui lutte depuis des années contre la surmédicalisation de la procréation, est en revanche totalement contre. Il y a longtemps qu'il tire la sonnette d'alarme à propos de ces diagnostics qui conduisent directement, selon lui, à l'eugénisme. Aujourd'hui, ces tests sont censés uniquement prévenir les risques médicaux, mais qu'en sera-t-il quand chacun pourra y avoir accès ? Appelant au contraire à des règles internationales contraignantes, le scientifique redoute cette dangereuse quête du bébé parfait, doté de qualités physiques et intellectuelles supérieures. Car si, aujourd'hui, la priorité des parents, c'est d'avoir un enfant en bonne santé, demain ne voudront-ils pas, si la science le leur permet, qu'il soit « augmenté » comme disent les transhumanistes ? « Nous finirons par orienter l'espèce humaine en fonction d'impératifs économiques », prévient le biologiste… Les médecins eux-mêmes ne seront-ils pas tentés d'inciter les futurs parents à effectuer ces tests, sous la pression financière des mutuelles d'assurance santé ? Une transformation sociale d'autant plus dangereuse qu'elle se fera selon lui sans violence, *via* un « eugénisme mou, consensuel et démocratique » qui se généralisera insidieusement, sans scandaliser personne : « Même sans modifier un seul être humain, le potentiel du diagnostic préimplantatoire pour transformer l'humanité est considérable », expliquait le Pr Testart lors d'un débat public, à l'automne 2014.

Aux États-Unis, ce test (PGS, *Preimplantation Genetic Screening*), totalement banalisé, est systématiquement proposé en option aux parents en cas de FIV, avec la promesse de limiter le risque de fausses couches. Deux options sont possibles : le diagnostic spécifique d'une ou de plusieurs maladies génétiques, ou le *screening* qui dresse un tableau chromosomique complet. À Chicago, le Dr Brian Kaplan, spécialiste de la fertilité et de la GPA, en a fait son meilleur argument de vente : « Toutes les cliniques sont évaluées sur leurs taux de réussite aux FIV. Grâce au dépistage, ce taux est bien supérieur car il permet d'éviter les complications liées aux implantations multiples. » Les embryons congelés qui sont passés par le filtre du PGS ont un taux de succès qui pourrait atteindre les 80 % à en croire certains médecins, contre 30 % environ pour des embryons non testés. À 20 000 dollars la FIV en moyenne pour la patiente, non remboursés par les assurances santé, le calcul est vite fait. Et puisque le test permet d'obtenir un caryotype complet de l'embryon, pourquoi se gêner ? « Après tout, certains couples ont de bonnes raisons de le faire. Je le respecte. » Comme il dit en riant : « *You get what you pay for* – Vous en avez pour votre argent. » Car, bien sûr, ces tests ont un coût : 2 600 dollars environ pour un dépistage chromosomique, 4 500 pour un diagnostic préimplantatoire… Mais la qualité est à ce prix. Certains pays comme l'Allemagne ou l'Autriche sont précisément pour ces raisons totalement opposés au DPI. D'autres, comme la République tchèque ou Chypre, font au contraire de la sélection du sexe du bébé leur meilleure pub. Sur les sites des cliniques, les packages FIV sont proposés à 20 000 euros, dépistage compris.

Jusqu'à présent, ces diagnostics toujours plus sophistiqués sont tout de même réservés aux couples stériles ou porteurs de maladies rares. 3 % seulement des enfants sont conçus *via* des techniques de procréation médicalement assistée. Mais qu'en sera-t-il à l'avenir ? La conception d'un enfant sera-t-elle demain considérée comme une affaire beaucoup trop sérieuse pour être laissée aux aléas d'une banale relation sexuelle ? « Cette folle idée traversera peut-être l'esprit de quelques écologistes nostalgiques », ajoute Jacques Testart. Les autres s'en remettront à la science.

Exagéré ? Pas si sûr. Quel parent, en effet, prendra le risque d'avoir un enfant « imparfait », déficient, ou tout simplement différent dans un monde globalisé de plus en plus compétitif ? « Personne », tranche Laurent Alexandre. Énarque et chirurgien, spécialiste du transhumanisme, ce spécialiste du décodage du génome est loin d'être aussi catastrophiste que le père du bébé-éprouvette, désormais réfractaire à la plupart des évolutions de la science reproductive. Mais il est d'accord avec le chercheur sur ce point. « Les enfants de demain seront conçus en laboratoire. » Tous les enfants ? Ou seulement ceux des riches ?

Selon Laurent Alexandre, la technologie va se banaliser. Il en ira du décodage du génome comme du téléphone portable. « Le premier coûtait 3 milliards de dollars en 2003. Aujourd'hui, on est sous la barre des 1 000 dollars. Il y a vingt ans, on pensait que le second serait accessible aux seuls P-DG. Aujourd'hui, le plus pauvre des paysans au fond de la brousse en possède un. Ce sera la même chose avec le séquençage ADN », prédit le patron de la société spécialisée DNAVision. Comme pour le smartphone, le prix du séquençage baisse en même temps que ses capacités augmentent : « Sur trois milliards de combinaisons génétiques possibles, trois millions étaient identifiées en 2008... On en était à cent millions en 2016 ! » Résultat selon lui : « On va passer du refus du pire à la volonté d'avoir le meilleur. » La voie qui conduit à l'amélioration de l'espèce humaine porte déjà un nom : CRISPR-Cas9 une nouvelle technologie qui permet de découper une séquence ADN et d'en modifier les chaînons défectueux. Pour l'instant interdite en France, mais pas en Chine ni aux États-Unis, cette espèce de coup de ciseau dans l'ADN permettrait d'éliminer des prédispositions au cancer, à Alzheimer, à Parkinson…

Forcément, dans la foulée, la course au super QI a déjà commencé : « Aujourd'hui, en dépistant sur l'embryon la trisomie 21, on est capable d'éliminer les enfants avec un QI de 70. Si vous avez le choix, accepterez-vous demain d'avoir un enfant avec un QI potentiellement inférieur à 130 si la norme est à 200 ? » interroge Laurent Alexandre. Et ceux qui pensent naïvement que, l'essentiel, c'est qu'il soit bien dans sa peau et heureux ont tout faux : « Demain, les robots entreront en concurrence directe avec les hommes. Seuls les êtres humains dotés d'un QI supérieur auront un rôle à jouer dans la société. Les autres ne serviront à rien. » Brrr !

Dans *Bienvenue à Gattaca*, le film d'anticipation d'Andrew Niccol sorti en 1997, les gamètes des parents sont sélectionnés afin de concevoir *in vitro* les enfants ayant le moins de défauts et le plus de talents possible. Les entreprises font effectuer des tests ADN pour les recruter. Ils constituent une élite, avec les meilleurs jobs, la plus belle vie. Les autres, ceux dont la conception relève du hasard, sont des espèces de sous-hommes, condamnés aux travaux les plus pénibles…

Or Laurent Alexandre en est convaincu : cette sélection est inéluctable. « Il en va de la survie de l'humanité. Aujourd'hui battu au jeu de go, l'homme sera demain écrasé par les robots s'il ne les domine pas. » Sous peine de voir se réaliser cette prophétie de Bill Joy, cofondateur des ordinateurs Sun, en 2000 : « L'avenir n'aura pas besoin de nous. »

Certes, le gène du QI n'a toujours pas été identifié pour l'instant. Mais le Chinois Zhao Bowen, un jeune prodige né en 1992, directeur du laboratoire de génomique cognitive du Beijing Genomics Institute (BGI) installé à Shenzhen, y travaille. À vingt ans et des poussières, ce petit prodige a bénéficié d'une bourse gouvernementale de 600 000 euros pour pousser ses recherches. Sur ses puissantes machines de séquençage, il a commencé à scanner environ 2 200 précieux échantillons d'ADN provenant de personnes au quotient intellectuel exceptionnel, de 60 % supérieur au QI moyen de l'humanité. Il va les comparer au génome de plusieurs milliers de personnes choisies au hasard dans la population. Ainsi le chercheur de Hongkong espère percer le secret de l'intelligence. Au moins créer, pour commencer, un test génétique afin de prévoir la capacité cognitive d'un bébé. Cette fois vous êtes arrivés : bienvenue à Gattaca !

Remerciements

Ma reconnaissance va d'abord à toutes ces femmes, trop nombreuses pour être citées qui, aux États-Unis, en Inde, en Ukraine et ailleurs, ont bien voulu partager avec moi cette expérience si singulière de la gestation pour autrui. L'écriture de cet ouvrage n'aurait pas été possible sans elles. Merci également aux parents et aux futurs parents qui m'ont fait confiance. À Dominique Mennesson, pionnier de la GPA en France. À John Weltman qui a guidé mes premiers pas dans l'univers de la GPA, à Zara Griswold, à Nancy Telman Block, à Brian Kaplan, au docteur Nayana Patel, à tous les spécialistes de la fertilité et de l'éthique qui m'ont consacré du temps et ont nourri ma réflexion sur le sujet.

Un grand merci à Marie-France Etchegoin qui a initié ce projet, à mon éditrice Sylvie Delassus qui a cru en moi avec persévérance, à Debora Kahn-Sriber pour ses relectures attentives et toujours bienveillantes.

Merci enfin à tous mes proches pour leur constant soutien, leur patience et leur affection, ils m'ont littéralement portée tout au long de cette aventure.

Table

Cet ouvrage a été composé
par PCA à Rezé (Loire-Atlantique)
et achevé d'imprimer en décembre 2016
par Cayfosa à Barcelone
pour le compte des Éditions Stock
21, rue du Montparnasse, 75006 Paris

Stock s'engage pour l'environnement en réduisant l'empreinte carbone de ses livres.
Celle de cet exemplaire est de :
500 g éq. CO_2
Rendez-vous sur
www.editions-stock-durable.fr

Imprimé en Espagne

Dépôt légal : février 2017
N° d'édition : 01
77-07-1112/8